Scrittori italiani e stranieri

Andrea Camilleri

LA PENSIONE EVA

Romanzo

MONDADORI

Dello stesso autore

Nella collezione I Meridiani
Storie di Montalbano
Romanzi storici e civili

Nella collezione Omnibus
Un mese con Montalbano

Nella collezione Scrittori italiani e stranieri
Gli arancini di Montalbano
La scomparsa di Patò
La paura di Montalbano
La prima indagine di Montalbano

Nella collezione Oscar
Un mese con Montalbano
Gli arancini di Montalbano
La scomparsa di Patò
La paura di Montalbano
La prima indagine di Montalbano
Il medaglione

Fuori collana
Camilleri legge Montalbano (libro + 2 CD)

www.andreacamilleri.net

www.librimondadori.it

ISBN 88-04-55434-7

© 2006 Arnoldo Mondadori Editore S.p.A., Milano
I edizione gennaio 2006

LA PENSIONE EVA

uno

Gradus ad Parnassum

Assai lunga e bisognevol di quotidiano esercizio
è la strada che al Parnaso conduce...

MUZIO CLEMENTI, *Gradus ad Parnassum*

Fu tanticchia prima dei suoi dodici anni che Nenè finalmente capì quello che capitava dintra alla Pensione Eva tra i màscoli grandi che la frequentavano e le fìmmine che ci abitavano.

Fu fin da quando sua matre aveva acconsentito che poteva andare a trovare da sulo a suo patre che travagliava nel porto, consenso che ebbe quando accomenzò a frequentare la scola limentare, che Nenè venne pigliato di grandissima curiosità per la Pensione Eva.

Nenè doveva per forza passarci, davanti a quella villetta a tre piani proprio squasi attaccata al principio del molo di levante, che pareva sempre intonacata di frisco, con le persiane verdi tenute inserrate, ma tanto sparluccicanti di colore che davano l'impressione d'essere state pittate allura allura, simpatica, graziusa, coi sciuri supra all'unico balcone del primo piano che macari lui non veniva rapruto mai.

Spesso Nenè fantasticava che là dintra ci abitavano le fatuzze bone, quelle che corrono a salvarti quando che hai fatto un malo passo e le chiami dispirato e scantato.

«Fatuzze! Fatuzze mie, aiutatemi!», e quelle compaiono, fanno un gesto con la bacchetta magica, e in un vidiri e svidiri fanno scappare il lupo scantuso, l'omo nìvuro, il brigante di passo. Il portone era eternamente mezzo chiuso e supra il muro d'allato ci stava impiccicata una targa di rame lucitata che pareva oro, indove che c'era inciso a littre corsive:

Pensione Eva

Nenè lo sapeva cos'era una pensione, l'aveva spiato a un suo cugino che faceva l'università a Palermo: era qualichi cosa di meglio di una locanda e qualichi cosa di peggio di un albergo.

A Vigàta, prisempio, c'erano un albergo e tre locande, posti frequentati da marinari di passaggio, commessi viaggiatori, rappresentanti d'armatori, ferrovieri, camionisti, e attraverso quei quattro portoni era tutto un trasiri e nesciri continuo.

Ma allura pirchì di jorno davanti al portone di quella pensione non c'era proprio nisciun movimento? Mai gli era capitato, passando a luce di sole, di vedere un'arma criata che ammuttava l'anta mezza chiusa trasenno o niscenno.

Una volta, proprio la matina appresso che

aveva compiuto otto anni, la curiosità fu tanta che arrivato davanti al portone tanticchia più aperto del solito, Nenè si taliò torno torno e, visto che sulla strata non passava nisciuno, fece un passo verso il portone e si calò col busto adascio adascio in avanti quel tanto bastevole che poteva con la testa agevolmente taliare dintra. Ma sia pirchì era alluciato dal sole, sia pirchì aveva il sangue grosso, in principio non vide nenti di nenti. Sentì invece dù fimmine che ridevano e parlavano a voce alta in una càmmara lontana, ma non capì quello che dicevano. Fece un altro mezzo passo, trasì di più la testa e lo pigliò nelle nasche un sciàuro di pulito, di sapone, di profumo come quello che c'era sempre nel salone del varbèri.

Fu tentato di trasire ancora tanticchia.

Alzò la gamba e tutto 'nzèmmula una mano gli calò di colpo tra cozzo e cuddraro, gli tirò fora la testa. Era un omo in divisa di capitano di mare che Nenè scanosceva e che lo taliava strammo, tra l'arraggiato e l'addivertito. Parlava taliano.

«Sei precoce, eh? Alla tua età già ti piace il miele, ragazzino? Subito via da qui!»

Nenè non capì quello che l'omo diceva, ma sinni scappò lo stisso di corsa, vrigugnoso.

Quando andò alla quarta delle scole vascie, alle sue domande sulla misteriosa pensione i suoi compagnuzzi, la maggior parte precoci sdilinquenti o figli di carritteri, di scaricatori del porto, di marinari, gli spiegarono di subito e squasi in coro tutta la faccenda, trasirono in dettagli, contarono particolari, spiegarono usanze e comportamenti come se dintra alla Pensione Eva ci avevano passato la vita.

E lui fece il sorrisino di chi aviva capito tutto. Invece non ci aviva capito nenti, era più confuso che pirsuaso.

Accussì una volta che si trovò a passare davanti alla Pensione con suo patre che lo teneva per mano, si pigliò di coraggio e gli spiò:

«Papà, vero è che dintra a 'sta casa i màscoli si possono affittare fìmmine nude?»

Era tutto quello che era arrinisciuto ad afferrare delle spiegazioni dei suoi compagnuzzi. A parte che aveva imparato che la Pensione Eva si poteva chiamare macari *casino* oppure *burdellu* e che le fìmmine che ci stavano dintra e che si potivano affittare erano nominate *buttane*. Ma *burdellu* e *buttane* erano parolazze che un picciliddro perbene non doveva dire.

«Sì» arrispunnì, frisco e tranquillo, suo patre.

«S'affittano ad anno?»

«No, per un quarto d'ora, una mezzorata...»

«E che ci fanno?»

«Se le taliano» disse 'u papà.

Gli abbastò. Per qualichi tempo si contentò della spiegazione, pirché lo sapeva il Signuruzzo sulo la voglia che se lo mangiava vivo di isare la gonnellina di sua cugina Angela, che aveva dù anni chiossà di lui, e di vedere com'era fatta sutta!

A undici anni sua matre gli dette finalmente il sospirato primisso di andare supra il tettomorto e di giocare con le cose vecchie che c'erano accatastate. Prima, aveva avuto sempre la stessa risposta:

«No, ti puoi fare mali, sei troppo nico.»

Felice, Nenè lo disse ad Angela, che abitava sull'istisso pianerottolo, e quella tanto fece e tanto disse che macari lei ebbe il primisso.

Dintra al tettomorto, in mezzo a decine di palumme che sentendosi disturbate sbattevano le ali sollevando un pruvulazzo che a momenti s'assufficava, c'era un trova trova, un virivirì, un cafarnao di vecchi mobili, seggie sane e sfondate, sacchi di juta pieni di carte, altri sacchi di giornali, riviste, libri, baulli con dintra ripiegati vestiti di nonni e di catanonni morti e stramorti, un altro baullo inchiuto di paramenti parrinischi, una pianola che ancora sonava, bambole di porcellana che a una ci mancava il pedi e a un'altra la mano, valigie tenute chiuse con lo spaco, càntari che non s'usavano più, giarre, dù sciabole, un fucile a retrocarica, dù pistole da duello, specchi, una machina fotografica col trippedi e il cappuccio, vasi, lumi a pitroglio, persino un enorme telefono a muro e un grammofono scassato.

La fantasia di Nenè, che avendo imparato a leggere a cinco anni già conosceva i romanzi di Salgari, si scatenò.

Con qualichi vestito e qualichi pezza colorata, abbastava nenti per fare diventare Angela ora la Perla di Labuan ora la figlia del Corsaro Nero mentre lui era, a secondo di come gli firriava, Sandokan, Yanez e più spesso Tremal-Naik, il gran cacciatore di tigri. In un attimo, il tettomorto diventava un loco periglioso e mistirioso come Mompracem. Ma quello che squasi lo imbriacava di piaciri era sapere che la sciabola o la pistola che impugnava erano armi vere che una volta erano state adoperate in qualichi guerra.

Finché un jorno scoprirono una valigetta nìvura che prima non avevano notata e la rapriro-no. Doveva essere appartenuta allo zù 'Ntoniu che era stato medico, pirchì ci trovarono, in mezzo a tante bottigliette di medicinali che fetevano, uno stetoscopio di ligno, di quelli a forma di trombetta, e un termometro.

«Facemo che io ero 'u dutturi, tu eri 'a malata e io ti dovevo visitare» disse Nenè subito che vide i dù strumenti.

«Sì, sì» consentì Angela entusiasta.

E si andò a stinnicchiare supra a un divano 'mpruvulazzato e traballante pirchì gli mancava una gamba. Per tenerlo fermo, ci misero sutta quattro libri rilegati.

Da allura in poi, ogni volta che acchianarono al tettomorto, fu solo per jocare al dottore.

Alla terza visita, Angela si levò vistito e mutande senza che Nenè glielo aveva spiato. Non diceva nenti, non rapriva vucca mentre lui la maniava tutta facendola votari e svotari di panza e di schina. Ma alla fine della decima visita, mentre si rimetteva il vestito, Angela parlò con voce ferma e decisa.

«Domani facemo arriversa» disse.

«E comu?»

«Facemo che tu eri 'u malatu e io ero la 'nfirmera.»

'U jorno doppo, appena trasuti nel tettomorto, Nenè si andò di corsa a mettere supra il divano a panza all'aria.

«Spogliati» disse Angela.

Lui si sentì affruntare, addiventò rosso per la vrigogna. Non si cataminò, a spogliarsi non aveva lo stesso entusiasmo di Angela. Cercò di trovare un accordo, una strata di mezzo.

«Tutto?»

«Tutto tutto» ordinò senza pietà la cugina.

Angela non gli fece più fare la parte del dottore, da allura Nenè fu sempre il malato. Si addunò però che nel cangio di parte ci aveva guadagnato, gli piaceva chiossà che era Angela a toccarlo, soprattutto quando gli metteva il termometro nella 'ncinaglia e perciò, di nicissità, gli doveva maniare la parte vascia.

E quando po' a giugno venne un càvudo che trasformò il tettomorto in un forno famiato, tanto che perfino le palumme sinni scapparono, la 'nfirmera pigliò l'abitudine di levarsi macari lei i vestiti e di stinnicchiarsi supra di Nenè. Capitò accussì che le loro labbra pigliarono prima a sfiorarsi, come per caso, po' a restare a longo impiccicate.

Appresso tutto cangiò, il joco parse diventare squasi una lotta disperata. Si abbrazzavano, si vasavano arraggiati muzzicandosi a sangue, si carezzavano, si graffiavano, si leccavano, ora arravugliati stritti stritti come dù serpi, ora sciddricusi come pesci, la pelle ridotta a saponata per il sudore.

"Possibile" si spiava Nenè quando si fermavano tanticchia per ripigliare sciato "che i màscoli granni che vanno alla Pensione Eva e hanno a disposizione le fimmine nude s'accontentano di taliarle solamente? O fanno quello che facemo Angela e io? Oppure fanno qualichi altra cosa che ancora non capisco?"

Le altre cose che ancora non capiva le capì in gran parte perché gliele spiegò il parrino quando, per prepararsi alla prima comunione, venne mandato alle cosididio. La prima comunione Nenè la stava facendo più tardo degli altri compagnuzzi: sua matre ci aviva dovuto mettere tempo assà a persuadere a 'u papà che non voleva, non gli piacevano le cose chiesastriche.

La spiegazione del catachismo la faceva nella sagristia della chiesa patre Nicolò e Nenè ci andava doppo l'adunata fascista del sabato doppopranzo, ancora in divisa di marinaretto.

Quando fu che patre Nicolò arrivò al comandamento che diceva di non commettere atti impuri, o cose vastase, che si potevano commettere da sulo o in compagnia, di subito Nenè si fece pirsuaso che quello che sua cugina e lui s'addivirtivano a fare nel tettomorto era proprio quello che il comandamento assolutamente proibiva. Pena, lo 'nferno eterno coi suoi diavolazzi, il foco, la peci bollente. Si scantò assà.

Facevano piccato. E piccatazzo mortale, non era cosa di sgherzo. Lui non lo sapeva, ma Angela, che era più grande di dù anni e la comunione l'aveva già fatta tanto tempo narrè, com'è che non sapeva ch'era piccato? E se lo sapeva, pirchì non gli aveva detto nenti?

Sinni tornò a la casa che era trubbolo e 'ntronato.

Per pigliare la comunione, ragionava, avrebbe dovuto rinunziare alle cose vastase con Angela, ma lui non aveva nisciuna intinzione di rinunziarci, gli piacevano assà. E po' si spiava pirchì doveva andare a contare i fatti suoi al parrino confessandosi.

Il jorno doppo, che era domenica, le dù famiglie, quella di Angela e quella di Nenè, andarono a passarlo nella campagna del nonno e nel primo doppopranzo, quando tutti erano andati a corcarsi abbuttati di pasta 'ncasciata, di capretto al forno e di vino, Angela e lui niscirono dalla casa e andarono a infilarsi dintra a un pagliaro che era bono per parlare da soli, ma non era bono per jocare al dottore, dato che poteva sempre passare qualichi viddrano.

«Ma tu lo sai che noi nel tettomorto facemo cose vastase e che è piccato mortali?» attaccò Nenè.

«Cu ti lu disse?» gli spiò di rimando Angela senza parere minimamente impressionata.

«Patre Nicolò, aieri, alle cosididio.»

«Patre Nicolò si sbaglia, noi due nel tettomorto jochiamo. Le cose vastase le possono fare l'òmini e le fimmine grandi.»

Nenè ci pensò supra tanticchia e arrivò a una conclusione.

«Allura, se è un joco, non c'è bisogno che glielo dico al parrino quando mi vado a confessare?»

«No, non c'è bisogno. Al parrino gli puoi contare tutto quello che vuoi, tanto non lo sa se è la virità o no.»

Tutto 'nzèmmula gli parse che Angela era diventata diversa, più sperta, più grande di lui, assai più dei dù anni di differenza che c'erano.

«Domani ci torniamo, al tettomorto?»

«Certo» disse Angela.

L'indomani, quanno andò a mettìrisi sul divano e Angela principiava a levarsi i vestiti, provò un certo impaccio. Non ce la faceva a spogliarsi, come gli era successo la prima volta. Che gli stava capitando? Pirchì s'affruntava? Pirchì provava vrigogna macari a taliare ad Angela che intanto si era spogliata? Vuoi vidiri che era tutta colpa di quel mallitto parrino che gli aveva fatto venire il dubbio che quel joco era piccato?

«Che fai, 'ngiarmasti?» gli spiò Angela impaziente.

Finalmente si spogliò e si lassò maniare dalla cugina, ma squasi senza provarci gusto. Aveva la testa persa darrè a una precisa domanda che voleva fare ad Angela, dato che quella aviva dimostrato d'acconoscere tante più cose di lui.

Alla prima fermata che fecero, assittati supra il divano uno allato all'altra, Nenè pensò che quello di certo era il momento giusto e le spiò:

«Tu lo sai che viene a dire *fornicare*?»

Angela si misi a rìdiri forte.

«Che ti piglia?» spiò strammato Nenè.

«'Sta parola, *fornicare*, mi fa venire di rìdiri. È una parola che usano i parrini o che si trova scritta nei comandamenti, ma i grandi dicono diverso.»

«Comu dicino?»

«È una parolazza.»

«Qual è 'sta parola dei grandi?»

«*Ficcare*. Ma non la devi diri casa casa, masannò tua matre ti piglia a pagnittuna. E se ti scappa, non dire che te l'ho detta io.»

Ficcare gli parse veramente una parolazza, una cosa laida e soprattutto vastasissima.

«Non si può chiamare diversamente?»

«Si può dire macari *fare all'amore*.»

Fare all'amore gli parse la meglio di tutte.

«E come si fa a fare all'amore? Tu lo sai?»

Angela lo taliò fastidiata.

«Lo so, ma non ho gana di dirtelo. Spialo a qualichi compagno tuo.»

«Tu sei la meglio cumpagna mia.»

Angela col dito indice indicò in mezzo alle gambe di Nenè e doppo con lo stisso dito indicò in mezzo alle sue gambe.

«Quanno questo qua trase dintra a questa qua viene a dire che si fa all'amore» disse di gran corsa, smuzzicando le parole.

Nenè la taliò 'ntordonuto. Cos'era, uno scio-

glilingua? Un indovinello? Cosa qui... cosa qua...
Non ci aveva capito nenti.

«Me lo rispieghi?»

«No.»

«Senti, ma a che serve?»

«Serve a provare piaciri e a fare figli.»

«Ma se serve a fare figli, pirchì è piccato mortalissimo?»

«Diventa piccato quando lo fanno dù che non sono maritati o quando lo fanno senza volere fare figli.»

Nenè ristò pinsoso, non capiva bene la differenza di quando era piccato e quando no. L'unica era provare.

«Mi fai vedere come si fa?»

Angela tornò a mittirisi a rìdiri.

«Non si può.»

«E pirchì? Pirchì è piccato mortalissimo?»

«No, pirchì tu non ce la fai.»

«Mentre tu sì?»

«Io sì.»

«E pirchì io no?»

«Pirchì tu ce l'hai nico.»

Nenè atterrì.

Dintra al tettomorto il sole scomparse di colpo, il tettomorto stisso si venne a trovare allocato vicino alla calotta polare, scinnì una notte funnuta e fridda, calò un gelo artico.

Ecco pirchì era stato sempre escluso a prima

botta dalle gare che aveva fatto coi compagnuzzi della terza, tutti con le mutande calate dintra a un vecchio e abbannunato magazzino di sùlfaro, a misurare lunghizza e grossizza! Non l'avevano mai manco voluto pigliare in considerazione! Maria, che disgrazia! Maria, che tragedia!

Pirchì proprio a lui era toccata questa grandissima sfortuna? Non era meglio se nasceva immiruto, macari con dù gobbe, invece d'averlo tanto nico che non poteva fare all'amuri?

Tutto ammollato, senza un muscolo o un nervo che più lo reggeva, si sentì diventare squagliato e sciddricò dal divano 'n terra. Si teneva a malappena dal mettersi a chiàngiri.

«Che hai?» gli spiò Angela.

«Nenti.»

«Dài, forza, parla.»

«Se tu dici che io ce l'ho accussì... questo significa che io mai...»

Non si tenne più, lagrime grosse come cìciri comenzarono a bagnargli la faccia.

«Ma che ti viene 'n testa, scimunito? Quando diventi grande ce l'avrai come a tutti i màscoli grandi.»

Capace che Angela diceva la verità. Che gliene veniva, a lei, di contargli una farfantarìa?

Nel tettomorto tornò la luce del sole.

«Me lo giuri?»

«Orba di l'occhi e morire ammazzata.»

Nenè si sentì meglio. Angela aveva pronunziato un giuramento sullenne. Si susì e stava per mettersi nuovamente assittato quando gli arrivò la rivelazione, fu proprio come un lampo dintra al ciriveddro. Restò 'mbarsamato a mezzo del movimento, immobile, senza arrinesciri a cataminarsi.

«Ahò!» lo chiamò Angela.

Non la sentì. Ecco che ci andavano a fare i màscoli grandi con le fimmine nude nella Pensione Eva!

Angela s'ammalò d'improviso. Una notte le pigliò la febbre e tutti pensorono a una 'nfruenza che passava tempo tri o quattro jorni. Invece la malatia di Angela non fu cosa passeggera, tanto che la dovettero ricoverare allo spitale di Montelusa. Pare che le avevano trovato qualichi cosa ai polmoni.

Passata una simanata scarsa, a Nenè la mancanza di Angela accomenzò a pesare forte. Non era tanto pirchì ora non si potevano più incontrare nel tettomorto – e po' 'sta storia del tettomorto forse non sarebbe stata la stissa di prima, certo per via di quello che gli aveva insegnato il parrino –, ma era pirchì aveva bisogno di parlare con lei, sentire la sua voce, taliarla nell'occhi. Spinnava accussì tanto di vederla macari per cinque minuti che si decise a spiare a sua matre se lo portava con lei a trovare Angela allo spitale la prima volta che ci andava. Ma sua matre gli arrispunnì che se lo levasse dalla testa, non se lo sarebbe portato appresso pirchì la malatia di Angela era contagiosa.

Però di quello che si era fatto persuaso che capitava nella Pensione Eva Nenè aveva assoluto bisogno di una conferma.

Con Ciccio Bajo, amico del core e compagnuzzo di banco, avevano da tempo pigliato l'abitudine di studiare 'nzèmmula, ora nella casa dell'uno ora nella casa dell'altro. Ma non avevano mai parlato di cose vastase.

Un doppopranzo dù mosche vennero a posarsi sul quaterno di Ciccio e di subito una acchianò supra all'altra. Nenè isò un vrazzo e con la mano aperta scrafazzò le mosche. Ciccio se la pigliò, lo taliò malamente.

«Il quaterno m'allordasti!»

«Scusami, ora te lo pulizio.»

«Ma si può sapiri che ti facevano di male dù povire musche che volevano ficcare?»

Ficcare! Ciccio aveva detto la parola vastasa. Allura Nenè capì che poteva fare le sue domande all'amico.

«Senti» gli spiò mentre puliziava il quaterno col suo fazzoletto, «tu lo sai cos'è la Pensione Eva?»

«Certo. È 'u casinu.»

«E tu lo sai come si fa a farsi dare una fìmmina?»

«Uno trase, si sceglie la fìmmina che gli piace, va a ficcare e quando ha finito paga la marchetta. Ma tanto è inutile che ci pensi ora.»

«Pirchì?»

«Pirchì ancora non abbiamo l'età. Per andare a casinu bisogna avere minimo minimo diciotto anni fatti.»

Matre santa, quanto tempo ci voleva ancora! Un'eternità!

Angela tornò a casa che erano passati otto mesi. L'avevano portata in un sanatorio di Palermo. Pallida e sicca, l'occhi granni granni, era malinconica e stanca. Si fermò solo dù jorni e Nenè non arriniscì a parlarle da sulo, senza avere pirsone di famiglia pedi pedi. E macari pirchì Angela non fece nenti per trovarsi da sula con lui. Appresso sinni partì per andare a stare da certi parenti di suo patre a Cammarata, indove i medici dicevano che c'era un'aria bona che le avrebbe fatto bene al petto. Sarebbe restata fora paisi minimo minimo un'annata.

L'annata passò e Angela non tornò.

«Ma non è ancora guarita?»

«Dalla malatia sì. È completamente sanata. Ma siccome sta frequentando la scola a Camma-

rata, tanto vale che si piglia il diploma lì. E po'
'sti parenti, che sono un marito e una mogliere
anziani, la considerano oramà comu 'na figlia.»

Ogni matina, appena che si susiva dal letto e
andava in bagno, Nenè si taliava a longo allo
specchio passandosi adascio adascio una mano
supra la faccia. Ma di pila non ne sentiva e non
ne vedeva manco l'ùmmira. Gli pareva che i
suoi compagni di scola stavano invece crescen-
do chiossà di lui: Jacolino (di nome faceva Enzo,
ma tutti lo chiamavano sulo per cognome), pre-
sempio, aveva già i baffi. Va bene che era più
grande di dù anni ed era ripetente, ma lui, tra
dù anni, i baffi ce l'avrebbe avuti? Ne dubitava e
s'abbiliva.

Possibile che solamente lui era destinato a restare picciliddro tutta la vita? Possibile che Angela, quel jorno nel tettomorto, gli aveva contato
una farfantarìa per calmarlo?

Per farsi passare la malinconia che l'assuglia-
va a questo pinsero, trasiva nello scagno del patre e si pigliava un libro. Suo patre gli aveva dato il primisso di leggere tutto quello che voleva e
tra i romanzi c'erano quelli che gli piacevano assà di uno che si chiamava Conrad, di un altro
'nglisi, Melville, e di un altro ancora, che però
era francisi, Simenon.

Dintra alle pagine di un romanzo a un certo

momento si perdeva come tra gli àrboli di un bosco, la testa gli partiva per un altro verso, se la sentiva a un tempo leggera come un palloncino e pesante come una petra, allura nel mezzo di una liggiuta doveva fermarsi pirchì i righi diventavano tutti torti e 'ntricciati e l'occhi s'annigavano a taliare 'u nenti.

Non era come quando jocava con Angela che lui diventava a piaciri o Sandokan o Tremal-Naik, no, ora era pirchì quello che stava leggendo gli procurava una specie di dibolizza, un languore dintra a tutto il corpo che lo sturdiva come un sciàuro fortissimo, sì, era una specie di sturdimento da 'mbriaco, piacevole e doluroso nello stisso tempo.

Aveva voglia sua matre a chiamarlo pirchì si era fatta l'ora di mangiare! Manco la sintiva. E quando quella, arraggiata, veniva a scuoterlo per una spalla o a dargli uno scappellotto darrè 'u cozzo, Nenè la taliava come una stranea e girava l'occhi torno torno, faticando a riconoscere il posto indove s'attrovava.

Una volta che era acchianato supra una seggia per arrivare nella parte alta della libreria, si decise a pigliare tra le mano un libro grosso, rilegato in tela rossa e con titolo e autore scritti a caratteri d'oro. Quando lo pigliò, a momenti non ce la faceva a reggerlo, tanto era pesante. Lo raprì sulo per dargli una taliata e rimetterlo a posto. E di subito vide che c'era un disegno che rappresentava una fìmmina nuda, 'ncatinata a una specie di scoglio, che chiangiva alla dispirata.

Matre santa, quant'era beddra quella fìmmina! I capelli longhi longhi non riuscivano ad ammucciare le gran cosce che aveva! E che minne tunne tunne le sporgevano dal petto!

Da quel momento in po', l'*Orlando furioso* di Ludovico Ariosto con i disegni di un pittore che si chiamava Gustavo Doré, diventò la sua liggiuta d'ogni jorno. I fogli di quel libro erano spessi e tanto lisci che sutta alla luce sparluccicavano. E accussì a Nenè, chiudendo l'occhi e passando un dito a lèggio a seguire il contorno del corpo di una fìmmina nuda, gli pareva di toccare carne viva.

Spisso invece teneva l'occhi a pampineddra, squasi a pigliare meglio la mira, in modo che il polpastrello andasse a carezzare un posto preciso, proprio in vascio sutta la panza nuda d'una fìmmina, indove tra le dù cosce e la panza stissa si formava una specie di v. Ci faceva supra col dito circoli nichi nichi, insistenti, continui, fino a quando supra il labbro non gli spuntava un velo di sudore, come se aveva bevuto aceto forti.

Oltretutto, a parte i disegni che erano belli assà, e non solo quelli che rappresentavano fìmmine nude, macari lo scritto in poesia gli dava una gran sodisfazioni. Tanto che s'imparò a memoria un centinaro e passa di versi che gli piacevano di più. E ogni volta che nella storia compariva Angelica pensava ad Angela che squasi si chiamava all'istisso modo.

Angela! Quando tornava da Cammarata potevano ancora vedersi nel tettomorto? Ora era sicuro che se ancora fosse capitato, il joco non sarebbe stato più un joco. Capace che le erano spuntate le minne. E a questo pinsero avvampava, col cuore che si metteva a correre. Doppo, di colpo, diventava giarno come un morto a un altro subitaneo pinsero: e se Angela, oramà fatta fimmina grande, gli diceva che non voleva più avere a chiffare con uno come a lui che non era cresciuto come gli altri? Poteva Angela mettersi con uno restato nico? E di conseguenza con un coso nico nico? Con una specie di nano senza un pilo che era un pilo da nisciuna parti?

«Ciccio, ma tu pensi che io diventerò longo come a tia?»
«Bih, che grannissima camurrìa!»
«Dimmelo, per favore.»
«Ma lo sai che mi fai questa domanda un jorno sì e uno no?»
«Per favore, dammi una risposta!»
Ciccio si squietò.
«Ma tu, gran cretino e fissa, ora comu ora come ti credi di essere?»

«Corto assà, squasi nano.»

Senza parlare, Ciccio si susì, lo pigliò per la mano, lo portò davanti allo specchio dell'armuar, gli si mise allato.

«Non lo vedi che siamo d'altizza uguale, scemo?»

Nenè si taliò. Non c'era verso, erano sì della stissa altizza, ma lui si sentiva più vascio. Che ci poteva fare?

due

L'imbarco per Citera

> *Venez dans l'île de Cythère*
> *en pèlerinage avec nous...*

> FLORENT DANCOURT, *Les trois cousines*

Il jorno che Nenè compì quattordici anni, lui, Ciccio, Jacolino e 'na para di altri compagni di scola s'accattarono tre fette di cuddriruni a testa e se l'andarono a mangiare la sera alla Scala dei Turchi, una collina di marna bianca e solitaria che sprofondava nel mare a larghi gradoni. L'amici si divertirono, Nenè no.

Jacolino contò di una compagna di scola che si faceva toccare le minne senza fare tante storie, Ciccio di come era riuscito a 'nfilari 'na mano sutta alla gonna della sua cammarera. Nenè a un certo punto acchianò dù gradoni, si stinnicchiò 'n terra e si mise a taliare le stiddre commigliato da un manto di malinconia.

«Domani a matino torna Angela» disse tri jorni appresso la mamà.

Avevano finito allura allura di mangiare e stavano ancora assittati a tavola pirchì 'u papà si stava pigliando il cafè.

33

«Quanto resta?» spiò 'u papà.

«Poco. Martedì matina se ne torna a Cammarata.»

«Piccato allura che non la posso vedere» fece 'u papà. «Stasera parto per Palermo e sto fora quattro jorni.»

«E tu, Nenè, non sei contento?» spiò la mamà vedendo che suo figlio se ne stava con la testa calata supra il petto, come faceva quando pensava d'avere ricivuta offisa.

«Sì, sì» disse Nenè susennusi e andando nella sua càmmara.

Si gettò affacciabuccuni supra il letto, per assufficare i battiti del cuore che gli pareva che si dovevano sentire fino 'n mezzo alla strata.

Nenè stava al balcone con sua matre quando arrivò la machina da Cammarata. Prima scinnero il patre e la matre di Angela, 'u zù Stefano e 'a zà Trisina, appresso scinnì lei.

A momenti Nenè non l'arraccanoscì.

Quella picciotta alta, vistuta eleganti, coi capelli nìvuri e ricci fino a mità schiena, con l'orecchini, con la borsetta in mano, era Angela certo, ma non era più Angela.

Per festeggiarne il ritorno, 'u zù Stefano e 'a zà Trisina vollero che Nenè e sua matre mangiassero con loro. Nenè, che era assittato davanti alla cugina, la taliò qualichi volta di straforo, ma quella, ogni volta che isava l'occhi dal piatto, faceva in modo di non taliarlo mai.

E aveva ragione, si disse amaramente Nenè. Che ci aveva da spartire una picciotta grande come Angela con uno restato nano come a lui? Con uno senza pila comu i vermi?

Dintra all'orecchi gli principiò una rumorata costante, una specie di forte risacca, che gli impediva di sentire i discorsi che gli altri stavano facendo. Di certo era il suo sangue grosso a fare rumore. Per farsi forza, si vippi in una sula tirata mezzo bicchiere di vino.

Tutto 'nzèmmula sua matre lo scuoté pigliandolo per un braccio, sgarbata.

«Ma che fai, non mangi? Mangia!»

E appresso, rivolta a sua sorella Trisina:

«E allura, contami di questo zito di Angela.»

«È un bravo picciotto, si chiama Marco, ha vintitré anni e travaglia...»

Angela si era fatta zita, a Cammarata!

La notizia fu pricisa 'ntifica a una gran botta 'n mezzo al petto. Nenè non riuscì a sentire più nenti pirchì la rumorata nell'orecchi ripigliò, ma stavolta era di mare in tempesta. Capì d'essere diventato giarno giarno come un morto, la càmmara con le pirsone e i mobili principiarono a firriargli torno torno, si dovette afferrare alla tavola per non cadere dalla seggia.

«Che hai? Ti senti mali?» sentì spiare a sua matre da lontano lontano.

Non arrispunnì, riuscì a susìrisi, si avviò verso la porta barcollando.

«Non ti scantare» fece 'u zù Stefano alla mamà. «Si vippi mezzo bicchiere di vino, l'ho visto io.»

Traversò il pianerottolo che divideva i dù appartamenti, trasì nella sua càmmara, si gettò supra il letto, si cummigliò la testa col cuscino e si mise finalmente a chiàngiri.

Nel doppopranzo Angela andò a trovare il nonno e restò la sera a mangiare da lui. Nenè tambasiò casa casa, non aveva gana di nesciri e d'incontrarsi con Ciccio, e quando pigliò in mano l'*Orlando furioso*, la storia del palatino che esce pazzo per amore gli fece venire un gruppu alla gola.

Lassò perdiri di leggere, si stinnicchiò supra il letto a taliare il soffitto. Si susì solo quando sua matre lo chiamò a tavola, mangiò a forza pirchì non aveva pititto e andò presto a corcarsi.

Non arriniscì a pigliare sonno che alle sett'albe e quando sua matre l'arrisbigliò era completamente 'ntronato.

«Arrisbigliati. Stiamo andando tutti alla messa e doppo facciamo una visita alla signora Palumbo che è malata. Rapri l'armuar, dentro c'è una bella sorpresa per te.»

Appena la mamà niscì, Nenè saltò dal letto e currì all'armuar. Lo sapeva quello che avrebbe trovato, sua matre aveva mantenuto la promessa fatta un mese avanti: un vestito finalmente coi cazuna longhi, da omo, da incignare quello stisso jorno che era domenica.

Andò in bagno, si lavò, si vestì, si taliò allo specchio: forse i cazuna erano tanticchia troppo longhi, facevano una piega grossa supra le scarpe, ma gli stavano benissimo. Macari la giacchetta gli cadeva bene. Per un momento pensò di scinniri in strata e di farsi vedere da Angela vistuto da omo grande alla nisciuta della messa, ma cangiò subito idea e si levò la giacchetta.

Fu allura che sentì un gran fracasso venire dalla cucina, forse una pignata caduta 'n terra.

Ma chi c'era in cucina? Non erano nisciuti tutti? Andò a vedere.

Era Angela, in fodetta e a pedi nudi, che gli voltava le spalle e cercava qualichi cosa supra una mensola. Gli mancò il sciato, la vucca sicca, le gambe di ricotta, tanto che dovette pigliare una seggia e assittarsi.

«Cu è?» spiò Angela scantata voltandosi.

Nenè non ebbe la forza di parlare, dintra al corpo lo scotìa un trimolizzo pirchì appena sua cugina si era voltata si era accorto che portava la sola fodetta trasparente e non aveva nenti sutta.

«Pensavo che tu eri andato alla messa» disse Angela.

«E io pensavo lo stisso di tia» fece a stento Nenè.

«Tu lo sai indove tua matre tiene l'origano?»

«No.»

«Ma tu hai i cazuna longhi! Fatti vidiri!»

Nenè arriniscì a susìrisi. Angela se lo taliò facendo la faccia compiaciuta, l'occhi sparluccicanti d'alligrizza.

«Ti sei fatto omo, Nenè!» disse po' allungando le braccia e pigliandolo per le mano.

Come fu che s'attrovarono abbracciati? Abbrazzati persi. Stringiuti fino a farsi male. Nenè sentiva il sciàuro dei capelli e della pelle di Angela, diverso assà da quello che si ricordava, e ne provava un piaciri che sapiva tanticchia di malinconia. Appresso Angela si mise a chiàngiri, sempre tenendolo abbracciato.

«Pirchì chiangi?» spiò Nenè tentando di sciogliersi dall'abbrazzo per taliarla in faccia.

Ma Angela non glielo permise.

«Mi vogliono fare zita, ma io a questo Marco non lo vurria per marito» gli murmuriò bagnandogli il collo di lagrime.

«E tu non te lo maritare.»

«Non posso.»

«E pirchì?»

«Pirchì... mi fece fare all'amuri con lui. Capitò un jorno che...»

Ma Nenè non l'ascoltò più.

Ascutava invece il suo corpo che tutto 'nzèmmula, alle parole di Angela che gli aviva rivelato d'essere stata di un altro, si era stracangiato. Sentiva il suo sangue fatto denso denso che però correva veloce nelle vene per andarsi a concentrare tutto nello stisso punto in vascio e ammuttare e ammuttare e ammuttare nella disperata necessità di nesciri fora dal corpo, di zampillare comu 'na fontana. Era questo che voleva dire divintare omo? Questa domanda del sangue che faceva duluri tanto era forti, tanto era prepotente?

Senza manco capire quello che stava facendo, scostò Angela, le pigliò le spalline, le sfilò e la fodetta cadì 'n terra.

Istintivamente Angela, restata nuda, si cummigliò con un braccio le minne e l'altra mano la portò in vascio.

«No... no» disse con una voce stramma, arragatata. «Queste cose noi non le possiamo più fare.»

«Ti voglio solamente taliare» fece Nenè macari lui con una voce che non riconobbe come sua. «Leva il vrazzo.»

Quanto l'aveva sognato il jorno che avrebbe potuto vedere un vero paro di minne di fimmina! Non gli abbastavano più i disegni di Doré e manco quello che potevano suggerire alla sua fantasia dù versi di Ariosto:

> Le poppe ritondette parean latte
> che fuor dei giunchi allora allora tolli.

Angela lentamente scostò il braccio, lo calò lungo il fianco. Ma quale latte! Quale ricotta bianca e tremolante! Le minne di Angela erano brune e rosa e po' parevano avere la consistenza del màrmaro.

Crollò schiantato supra la seggia, Angela restò ferma davanti a lui. Nenè continuò a taliarla, macari se l'occhi ogni tanto gli si annigliavano. Sì, tutto il resto corrispondeva alla descrizione:

> I rilevati fianchi e le belle anche,
> e netto più che specchio il ventre piano,
> pareano fatti, e quelle coscie bianche,
> da Fidia a torno, o da più dotta mano.

Inghiottì dù volte, la gola riarsa bramava alla disperata aria e acqua.

Articolò rauco:

«Leva l'altra mano.»

«No.»

«Levala!»

Aveva fatto, senza addunarisinni, una gran vociata che non era un ordine, ma un grido d'aiuto. Allura Angela levò l'altra mano, taliandolo sempre occhi nell'occhi.

«Avvicinati.»

Angela fece un passo avanti, le sue gambe toccarono quelle di Nenè che si scantava a susìrisi dalla seggia, temeva, affruntandosi, che Angela poteva vedere il rigonfio, lo stracangio che gli era capitato in vascio. Alzò le braccia, posò le mano a coppa supra le minne della picciotta, le carezzò a longo. Ora Angela teneva l'occhi chiusi.

Po' le mano di Nenè scivolarono lungo i scianchi, si fermarono sulla v, che pareva pittata di nìvuro, la carezzarono col dito indice che ci faceva supra tanti circoletti, doppo la mano dritta trasì di taglio e di forza in mezzo alle gambe stritte della picciotta, percepì un calore umido, po' la mano principiò di sua iniziativa, senza che Nenè glielo avesse comandato, a fare un movimento liggero liggero di avanti e narrè.

Il sciato di Angela era diventato grosso, quello di Nenè invece era una specie di sibilo sirpintigno.

A un certo punto Angela fece un movimento in modo che Nenè poteva tenere la mano non più di taglio, ma col palmo all'insù. Appresso la picciotta gettò la testa tutta narrè e si lamentiò a labbra inserrate.

«Ti faccio male?»

«No» arrispunnì Angela. «Ma ora basta.»

E gli bloccò con forza il polso con le sue dù

mano mentre si tirava narrè. Nenè stava piegato a mezzo, il duluri era diventato violento, dal vascio gli era acchianato fino al petto e gli impediva di parlare.

Angela in un fiat si rimisi la fodetta. Si riavvicinò, si calò, vasò a Nenè sulle labbra proprio come facevano gli attori al ginematò mentre che con una mano s'appoggiava, come per caso, proprio sul rigonfio dolorante.

«Addio» disse.

E sinni niscì.

Per calmarsi tanticchia, Nenè corse in bagno, raprì l'acqua della vasca, ci si calumò dintra, sempre evitando di usare la mano dritta che ogni tanto si portava al naso per risentiri il sciàuro di Angela. Mentre l'acqua l'agghiazzava, gli venne di mettersi a cantare. L'orgoglio di sapersi diventato omo superava assà il duluri di non vedere più Angela.

"Ora posso for-ni-ca-re!" pensò, orgogliosamente.

Mentre s'avviava verso la casa di Ciccio, lo pigliò un dubbio. E cioè che Angela lo sapeva benissimo che lui non era andato alla messa, che era entrata nella sua casa in fodetta senza nenti di sutta perché sperava che capitava quello che era capitato e che aveva lassato cadere una pignata proprio per farlo andare in cucina indove l'aspettava. E tutto questo l'aveva strumentiato per stare con lui un'ultima volta.

Ma era veramente sincera quando gli aveva detto che non voleva maritarsi con Marco o lo faceva per lassarlo con la vucca duci? Con un buon ricordo? Ad ogni modo s'addunò, con una certa maraviglia, che della facenda non gli importava più tanto. E forse questo era un altro segnale che era oramà diventato omo.

Ciccio si complimentò per i cazuna longhi, lui li portava già da qualichi mese. Decisero di fare una passiata al molo. Nenè non si poté tenere e contò all'amico tutto quello che era capitato con Angela. Mentre che parlava, ogni tanto avvicinava la mano al naso e la sciaurava.

«Si può sapere che cavolo fai con quella mano?» spiò Ciccio.

«Me la sciàuro, conserva ancora l'oduri di Angela.»

«Daveru? Fallo sentire macari a mia.»

«No.»

«Non te lo rubo, scemo, l'oduri sempre tuo resta. Io ci do solamente una sciaurata e basta.»

«No.»

E mentre continuava ad arrefutare, non sapeva manco pirchì lo faceva. Ma sentiva che era giusto accussì.

Arraggiato, Ciccio scinnì dallo scoglio e sinni tornò verso il paese.

Nenè restò assittato a taliare qualichi barca a vela a filo d'orizzonte. Ogni tanto si portava la mano al naso. Po', a picca a picca, l'aria salata del mare scancellò l'oduri di cannella e di noce moscata che era stato il profumo di Angela.

Il desiderio di trovarsi con un'altra fimmina come gli era capitato con Angela cominciò a martoriarlo che manco era passato un mese dalla partenza della cugina.

Durante la jornata, tra l'andata e il ritorno in corriera per andare al matino al ginnasio di Montelusa, i compiti al doppopranzo con Ciccio, qualichi passiata con l'amici e qualichi orata al ginematò, ce la faceva a reggere, il pensiero squasi non gli veniva. E macari il sabato fascista, alla solita adunata, faceva cose da pazzi, salto con l'asta, cavalletto, cento metri piani, fune, per arrivare alla sera stanco morto e pigliare subito sonno. Nenti. Con le ossa rotte o no, appena si andava a corcare comenzava il trìbbolo, il tormento.

Gli tornavano di colpo a mente le immagini di lui con Angela come se era una pellicola proiettata supra il muro davanti al letto, e tutte le sensazioni che aveva provato mentre carezzava quelle carni a un tempo tenere e consistenti gli si rinnovavano vive e presenti e lo facevano smaniare, gli facevano ammancare l'aria.

«Non dormo più la notte, Ciccio.»

«Ma quando ti piglia accussì forte, non ti puoi dare adenzia con le tue stesse mano?»

«Da sulo ci ho provato una volta.»

«Embè?»

«Non m'è piaciuto, prima m'è venuto da ridere e doppo m'ha fatto una gran malinconia.»

«Bih, quanto sei strammo, Nenè! Ma almeno almeno, doppo, ti sei addormentato?»

«Sì.»

«Lo vedi? Perlomeno serve a calmarti, a farti venire sonno.»

Un doppopranzo Jacolino, che era una simanata che non lo vedevano, si presentò all'amici con tanto di varba e baffi. Pareva un vintino, invece del diciassettino che era.

«Che dite? Ce la faccio accussì?»

«A fare che?»

«Ad andare alla Pensione Eva. Capace che mi credono più grande, non mi spiano la carta d'identità e mi lassano trasire.»

Ci arriniscì. E il jorno appresso, al colmo dell'alligrizza, contò all'amici ogni particolare. Nenè non pativa d'invidia, ma quella volta l'invidia se lo mangiò, eccome se lo mangiò!

Jacolino disse che la buttana con la quale era stato era bellissima, si chiamava Zuna e parlava taliano stritto. Alla fine l'aveva lavato e...

«Aspetta!» l'interruppe Nenè. «Ti lavò lei?»

«Sì, con una specie di disinfittante che mi pare si chiama permanganato. Matre mia, che mani che aveva! Mi fece venire subito gana di raccomenzare da capo.»

«E pirchì non l'hai fatto?»

«Pirchì Zuna m'avvertì che allura bisognava pagare la doppia. Io non avevo i soldi e le promisi che saria tornato il jorno doppo, cioè oggi. Ma lei mi disse che cangiava la quindicina e che perciò oggi partiva. Pacienza. L'importante è che mi fanno trasire, ora che m'acconoscino.»

Nenè e Ciccio fecerono la stissa domanda 'nzèmmula.

«Che è la quindicina?»

«Ogni quindici jorni le sei buttane della Pensione Eva cangiano. Vanno in un altro burdellu e quelle di un altro burdellu vengono qua.»

Tornato a casa, ammàtula Nenè si taliò allo specchio. Sì, tanticchia di pilo sulla faccia ora c'era, ma pareva quello di un puddricino appena nato, non era lontanamente bastevole per fare varba e baffi.

Poteva mettersi una maschera di carnevale, di quelle con la varba finta, e tentare di trasire dintra alla Pensione Eva?

Non c'erano santi. Abbisognava armarsi di santa pacienza e aspettare i diciott'anni. O sperare in una botta di fortuna.

La botta di fortuna gli capitò per il fatto che era scarso assà in matematica. Una sera, parlando con sua matre, gli venne di dirle quant'era bravo in questa materia il suo compagno di classe Matteo Argirò. Uno che aveva i capelli rossi, era mutànghero e di carattere difficile. Il patre gli era morto cinco anni avanti e la matre vidova, una quarantina che di nome faceva Bianca, campava con la pensione.

«Perché non gli domandi a questo tuo compagno se ti fa fare i compiti 'nzèmmula a lui? Capace che ti spiega come fa e tu ci capisci qualichi cosa di questa mallitta matematica» gli disse la matre.

Nenè ci pensò a longo prima di spiare a Matteo quello che gli era stato suggerito dalla matre. Quando si decise a farlo, Matteo Argirò disse semplicemente:

«Va bene.»

Stabilirono che dal jorno appresso Nenè sarebbe andato nel doppopranzo a casa di Matteo.

La casa era nica, Nenè e Matteo si misero a studiare nella càmmara di mangiare. La signora Argirò comparse dalla sua càmmara di dormiri doppo un'orata, pruì la mano a Nenè, gli fece una carizza sui capelli, spiò se volevano qualichi cosa da bere e, alla risposta negativa dei dù pic-

47

ciotti, sinni niscì, dicendo al figlio che sarebbe tornata tardo ma che in cucina era tutto pronto, Matteo se voleva poteva cenare, abbastava riscaldare la minestra.

A Nenè la vidova Argirò gli fece una grossa impressione. Biunna, sicca, alta, elegante, tutta pittata, profumava forte di zagara. Aveva l'occhi verdi. Ma quello che lo colpì soprattutto fu la breve taliata che la signora gli lanciò: fu un attimo, ma bastevole perché Nenè si sentisse spogliato, pesato e valutato.

La quarta volta che andò in casa Argirò, trovò la mezza porta rapruta. Ma volle lo stisso sonare il campanello. Da dintra, lontana, sentì la voce della signora Bianca.

«Nenè, tu sei?»

«Sì, signora.»

«Trasi e chiudi la porta. L'ho fatta lassare apposta aperta perché mi sto facendo il bagno.»

Quindi la signora Bianca parlava a voce àvuta mentre sinni stava infilata, nuda, dintra alla vasca.

«Matteo a momenti arriva.»

Nenè s'assittò al solito posto nella càmmara di mangiare, raprì libro e quaterno, voleva studiare il compito.

Ma non ce la fece ad applicarsi: con l'orecchi appizzate, arriniscì a sentire lo scruscio che faceva l'acqua smossa dai movimenti della signora

Bianca che si lavava. La immaginò mentre s'insaponava le minne e in mezzo alle gambe. Accomenzò a sudare.

Ma quando tornava Matteo? Po' Nenè sentì la voce della signora più vicina, evidentemente era nisciuta dal bagno e ora stava nella càmmara di letto a cantare *Amapola* a vucca chiusa. Tutto 'nzèmmula il canto s'interruppe.

«Nenè, puoi venire un momento di qua, per favore?»

Ai pedi del letto c'era un tavolino con supra uno specchio. La signora Bianca sinni stava assittata supra a uno sgabello davanti al tavolino che era cummigliato da bottiglie di profumi, pettini, creme, spazzole, vasetti, pennellini. Aveva un asciucamano supra le spalle tenuto chiuso all'altezza del petto da una spingola di nurrizza e un altro che le copriva la panza e le ginocchia. E basta.

Nenè addivintò 'na vampa di foco. La signora, che lo taliava riflesso nello specchio, non parse farci caso. Si stava truccando l'occhi.

«Mi potresti incipriare le spalle?»

«Sss... ì.»

«Grazie» fece la signora raprendo la spingola di nurrizza e raccogliendo l'asciucamano davanti alle minne. «La cipria è in quella scatola.»

Dintra alla scatola c'era un grosso piumino. Nenè incipriò le spalle della signora con la mano che gli trimava. Quanno finì, la signora disse, lassando cadere l'asciucamano:

«E ora il petto, per favore.»

E ripigliò a truccarsi l'occhi.

Nenè fece quello che la signora voleva tenendosi darrè a lei e taliando le sue minne riflesse allo specchio. Lo stracangio abbascio si stava facendo consistente, a malgrado che Nenè teneva il piumino con dù sole dita per evitare di sfiorare per caso la pelle della fimmina. Sarebbe abbastata una toccatina liggera a fare danno.

"Meno mali" pinsò "che non può vidiri quello che mi sta capitando!"

E proprio in quel momento, per taliare meglio come le era venuto il trucco, la signora Bianca si tirò narrè e le sue spalle andarono ad appuiarsi con forza, ma come per caso, supra il rigonfio dello stracangio. Ma, pur avendolo certamente avvertito, non si scostò, anzi, sempre accussì appuiata, ripigliò a truccarsi, cataminandosi a lèggio. Ogni volta che si muoveva, per Nenè era come una fitta dolorosa, il suo corpo era attraversato da continue scosse elettriche.

Po', non facendocela più a resistere, afferrò la signora per le spalle, la tenne ferma, fu lui stavolta a strusciarsi contro di lei, cataminandosi sempre più in fretta. Alla fine la signora, che non aveva mai rapruto vucca, disse, mentre ripigliava a truccarsi come se non era capitato nenti:

«Grazie. Puoi tornare a studiare. Ma se ne hai bisogno, vai in bagno prima che arrivi Matteo.»

Del compito che Matteo gli spiegò non arrinisciò a capirci nenti di nenti, tanto che all'indomani pigliò tri.

Dù jorni appresso Nenè doveva tornare a casa del compagno. Ma era dubitoso assà. Si scantava di quello che avrebbe potuto dirgli la signora Bianca.

Si era comportato da gran vastaso, da porco fituso: lei, povira fimmina, gli aveva spiato un favore evidentemente senza pensare a nenti di mali e lui invece sinni era approfittato. L'aveva offisa. La signora non aviva reagito, forse pirchì pigliata di sorpresa, ma ora con quale faccia Nenè poteva ripresentarsi in quella casa?

Soprattutto si sentiva lordo per il tradimento fatto al compagno che con tanta pacienza si dedicava a lui. Forse avrebbe dovuto contargli tutto e spiargli scusa. Aveva un core d'asino e uno di lione. Addecise d'andarci soprattutto per vedere qual era l'atteggiamento della signora: se era negativo, salutava, nisciva e non l'avrebbero visto più.

Raprendogli la porta per farlo trasire, Matteo disse:

«La mamà ti ha preparato una sorpresa.»

Scantato, Nenè lo taliò nell'occhi: Matteo però

non gli parse arraggiato. Supra il tavolino della càmmara di mangiare c'era una cassata.

«Mamà l'ha accattata stamatina per te e per me.»

A Nenè gli parse d'essere tornato pulito e 'nnuccenti come un picciliddro nasciuto allura allura. La signora Bianca era proprio 'na gran signora! La cassata viniva a significari che tutto era stato scordato.

«La voglio ringraziare, chiamala.»

«Non c'è, è partita per Montelusa. Torna stasera.»

L'indomani Nenè pigliò sette in matematica.

Otto jorni appresso, trovò nuovamente la porta rapruta a mezzo. Sonò.

«Nenè, tu sei?»

«Sì, signora.»

«Trasi e chiudi la porta. Ho mandato Matteo ad accattarmi 'na poco di medicinali, non mi sento bene. Tarderà perché è dovuto andare a Montelusa, nella farmacia di qua non li avevano.»

Nenè s'assittò, raprì il libro. Ma la signora lo chiamò.

«Nenè, puoi venire?»

Nenè passò nella càmmara di dormiri. La signora Bianca era corcata sutta a un linzolo che ne addisegnava il corpo. Stava assittata a mezzo, appuiandosi a dù cuscini e tinenno il linzolo con una mano all'altizza del petto. A Nenè non parse per nenti sbattuta, anzi, aviva una bella faccia rusciana, era pittinata e truccata come se doveva nesciri. Si era profumata assà di essenza di zagara.

«Tienimi un poco di compagnia. Siediti qua.»

E gli fece 'nzinga d'assittarsi supra il letto vicino a lei. Tanticchia 'mparpagliato, Nenè obbedì, diventando rosso per la vrigogna. Po' la signora gli spiò:

«Ce l'hai la zita?»

Nenè arrussicò ancora di più.

«No.»

«E come mai? Un beddro picciotto come a tia!» fece la signora Bianca pigliandogli una mano.

Accomenzò accussì la prima volta che Nenè fece all'amuri con una fìmmina. Ma fu macari l'ultima volta che andò a fare i compiti di matematica in casa di Matteo, capì che non ce l'avrebbe mai fatta a sostenere lo sguardo dell'amico. A costo di farsi rimandare a ottobre, come infatti capitò.

«Ciccio, ho fatto all'amuri.»

«Finalmente! Ti piacì?»

«Boh.»

«Che significa boh? O sì o no.»

«Boh.»

«Con chi lo facisti?»

«Con la vidova Argirò. Ma non lo faccio più, Matteo è amico mio e mi pare d'essiri un traditore, uno che s'approfitta.»

Ciccio scatasciò in una gran risata.

«E accussì macari tu ti sei imbarcato!»

Nenè lo taliò strammato.

«Che viene a dire?»

«Lo sai come la chiamano in paisi alla vidova Argirò? La nave-scuola, la chiamano! Da cinco anni a questa parte non c'è picciotto che non va a fare con lei la prima crociera.»

Gli venne di fare una sula domanda:

«Matteo lo sa?»

«Secunno mia lo sa, ma fa finta di nenti. Quindi puoi tornarci quando ti pare.»

Nenè ci pinsò supra tanticchia.

«No, non ci torno.»

Ma quanto ci mettevano ad arrivare 'sti biniditti diciott'anni?

Accussì poteva andare alla Pensione Eva e fare all'amuri con tutte le fimmine che voleva senza sintirisi lordo di dintra e aviri l'impressione di aviri fatto 'na cosa laida!

tre

All'ombra delle fanciulle in fiore

Fu in quel periodo che... mi rivelò nuovi orizzonti di felicità... fu lui a condurmi per la prima volta in una casa d'appuntamenti.

MARCEL PROUST, *Autour de Madame Swann*

«La sapete una cosa?» disse tutto 'nzèmmula Jacolino mentre si stavano facendo una passiata al molo una domenica di fine ottobre. «Mio patre si pigliò la gestione.»

Sul momento, Nenè e Ciccio non capirono, stavano parlando della guerra che andava sempre pejo e perciò pinsarono che a don Stefano Jacolino era vinuta qualichi malatia.

«Che ha tuo patre?» spiò Nenè. «Una congestione?»

«Che ci trase la congestione! Ho detto che si pigliò la gestione.»

«Ma la gestione di che?»

«Siccome che morse don Tano Saraco, che era il vecchio gestore, mio patre se l'è pigliata lui, la gestione della Pensione Eva.»

Don Stefano Jacolino, àvuto, sempre ben vestito, dalla parola facile e convincente, era omo col quale non era prudente di spartirci il pane. In vita sua le aveva combinate tutte, ma proprio tutte, dalla truffa alle aste truccate, dall'appropriazione indebita alla circonvenzione d'incapace. Aveva le carte macchiate dalla giustizia e stava conoscendo un momento di vascia fortuna quando fece un incontro che gli cangiò di colpo l'esistenza, vale a dire che Adelchi Colleoni, il federale fascista di Montelusa che si diceva che aveva tre palle ed era perciò sempre bisognevole di sfogo, se lo pigliò come procacciatore di fimmine. Quindi don Stefano, in un certo senso, aveva i requisiti per domandare, e ottenere, la gestione di un casino.

Di subito, la notizia a Ciccio e a Nenè non ci fece né càvudo né friddo.

«Per te, Jacolì, non cangia nenti, no? Tanto tu è un sacco di tempo che ci vai. Opuro pensi che tuo patre, appena piglia posesso, non vuole più che tu ci continui ad andare?»

«Al papà 'sta storia del burdellu gliela contai subito e lui si mise a ridere. A lui gli piacino i picciotti sperti.»

«Va bene» tagliò Nenè. «Ma per me e Ciccio non cangia nenti. Non è che pirchì tu sei amico nostro tuo patre ci fa trasire.»

«No, questo no, non lo può fare, deve rispettare la liggi. Però io ho fatto una pinsata che forsi forsi può risolvere la vostra situazione.»

«Daveru?» spiò Nenè.

«E qual è 'sta pinsata?» spiò invece Ciccio.

«Ve la dico presto. Io già gliene parlai a mio patre e lui mi disse di aspettare tanticchia. Deve tenere chiusa la Pensione per un dù mesate, pensa di poter fare l'inaugurazione il primo di gennaio dell'anno che viene. Ha la 'ntinzione di rimetterla completamente a novo, la vuole fare passare dalla terza alla seconda categoria. E fa venire da Palermo una Signura che è sua amica fidata.»

Ciccio e Nenè lo sapevano che cos'era la Signura, era la patrona e dòmini, la soprastanti, la matre badissa, quella che stava alla cassa e contava le marchette, insomma dalla Signura dipendeva il funzionamento della casa: doveva saper essere energica coi clienti vastasi e gentile con le pirsone perbene. Doveva avere occhio fino e polso fermo.

Tanto a novembre quanto a dicembre, Nenè ebbe scarso tempo per pinsare alla fimmina. A levargliela dalla testa furono i bombardamenti nemici che si scatinarono supra il paisi, pirsone assà morirono sutta alle macerie delle loro case, molti vennero feriti e restarono struppiati per tutta la vita.

Una bomba fece a pezzi a Lorenza Livantino, una cumpagna di scola, e Nenè e Ciccio stettero un jorno intero ad assupparisi di chianto sconsolato. A un altro cumpagno e amicuzzo, Filippo

Portera, lo tirarono fora dalla rovina della casa indove viveva col patre vidovo, più morto che vivo. Aveva la testa mezza fracassata e lo portarono allo spitale di Montelusa. Doppo una quindicina di jorni Nenè e Ciccio spiarono a don Vincenzo, il patre di Filippo, come stava il figlio. L'omo li taliò disperato.

«Meglio sta, non è più in pricolo di vita. Ma con mia non vuole parlare, non mi vuole manco vedere, appena m'avvicino al suo letto fa come un pazzo e allora gli 'nfirmeri mi pigliano e mi gettano fora. Vi posso addumannari un favore, picciotti?»

«A disposizione.»

«Potete andare a trovarlo? Vi abbasta una mezzorata doppo che siete nisciuti dalla scola. Accussì vi fate spiegare pirchì ce l'ha a morte con mia. Capace che a voi ve lo dice.»

Andarono a trovarlo.

Lo spitale era chino chino di malati e feriti assistimati macari supra i pianerottoli. C'era fetu di medicinali, di suppurazioni, di marciuto, di pisciazza e di merda. Chi si lamentiava, chi prigava, chi santiava, chi chiamava a qualichiduno, matre, patre, figlio, figlia, marito, mogliere. Passarono davanti a uno che faciva voci di agneddro scannato, mentre un medico, con l'occhi spirdati che pariva un pazzo, gli gridava:

«Non ne abbiamo più morfina! Lo vuoi capire

o no? L'unica cosa che posso fare per te è spararti.»

Filippo stava dintra a un cammarone con una decina di feriti. Appena li vitti, stese le vrazza, felice. S'abbrazzarono commossi. Aveva la testa tutta infasciata, si vedevano sulo l'occhi e la vucca. S'assittarono supra il letto, non c'era manco una seggia.

«Ftu granniffimo curnutu!» disse Filippo.

Parlava faticando per la ferita e per la fasciatura stritta. Chi poteva essere il cornuto in questione se non quello che gli aveva provocato la ferita?

«Churchill?» spiò Ciccio.

«Mussolini?» azzardò a voce vascia Nenè.

«No, no!» disse agitato Filippo. «Papà!»

«E che ti fece don Vicenzo?» spiò Nenè.

«Quaquone» fece Filippo.

Che voleva dire? Ciccio e Nenè lo taliarono 'mparpagliati.

«Quaquone!» ripité arraggiato Filippo.

E con la mano fece il gesto di chi tira dall'àvuto in vascio una corda, una catena. Nenè ebbe un'illuminazione. *Quaquone* veniva a dire *sciacquone*! Ma che ci trasiva lo sciacquone del retrè con l'arraggiatina di Filippo verso suo patre?

«Ho capito, lo sciacquone» disse Nenè. «Ma pirchì ce l'hai con tuo patre?»

«Picchì non l'agghiuftò. Fi ftava ftaccanno dal

muro, io ce lo diffi a 'ftu gran curnuto, guadda che un jorno o l'altro ci cadi 'n tefta, ma lui non l'agghiuftò.»

«Va bene, ma...»

«Accuffì, quando tirai la catena, 'u quaquone mì cadì 'n tefta e mi la ruppi. Curpa di ftu gran curnutu!»

Credeva che s'attrovava allo spitale per la caduta dello sciacquone, non aveva capito che c'era stato un bombardamento mentre stava facendo i bisogni suoi nel cesso.

«Filì, ma che vai dicendo? Quali quaquone e quaquone! Mentre tiravi la catena, supra la casa cadì una bumma!»

E Filippo, sbarracando l'occhi:

«Bumma? Dite fupra 'u feriu? Allora voglio vidiri a mio patre, fubito!»

Ci sarebbe stato di farsi una gran risata, ma Ciccio e Nenè non ne ebbero gana. Niscero di corsa dallo spitale senza scangiarsi parola.

Di jorno l'aeroplani facevano qualichi passata, e macari mitragliavano, ma con lo scuro s'appresentavano puntuali verso la mezzanotte e non la finivano sino alle tri o alle quattro della matina.

La gente stava chiossà nei ricoveri che dintra alle case. I nervi erano saltati a tutti; nisciuno, tra le bombe e la battarìa delle contraeree, riusciva più a dormire, bastava un nenti a provocare sciarriatine e mali parole.

Ogni matina, prima di pigliare la corriera per andare al liceo di Montelusa, Nenè andava a vedere se la Pensione Eva era ancora addritta o era stata nottetempo sdirrupata.

Don Stefano Jacolino inaugurò la rinnovata Pensione Eva alle otto di sera del dù gennaio millenovecentoquarantadù.

Per la verità c'era stata, alle quattro di doppopranzo, un'altra inaugurazione privata e segreta, alla quale avevano presenziato il federale Colleoni e il vicefederale Agnello, in borgisi. I dù gerarchi avevano fatto macari qualichi assaggio variato delle fimmine presenti e le avevano trovate di bona qualità. Tanto che di una di loro Colleoni si servì dù porzioni.

Subito si seppe in paisi che la Pensione Eva era una cosa che ci volevano occhi per taliarla, una magnificenza, una lussuosità. Lavabo e bidè in tutte le càmmare, il tetto era stato trasformato in una grande terrazza indove c'erano sei enormi cassoni pieni d'acqua. Certo, le tariffe erano aumentate, ma le fimmine erano tutte merce di prima scelta.

Doppo una decina di jorni dall'inaugurazione, Jacolino spiegò il suo piano a Ciccio e a Nenè, mentre si sbafavano una granita di cafè con panna al Cafè Empedocle.

«Ho parlato con mio patre e ho avuto finalmente il suo primisso. Non sulo, ma mio patre ha già avvertito la Signura, che si chiama Flora. E io stisso ho parlato con la Signura. Avete via libera per venire alla Pensione, ma una volta alla simana.»

Per la sorprisa, Nenè restò muto, gli veniva d'abbrazzare a Jacolino. Ciccio invece disse subito:

«Accomenzamo stasera stessa.»

«Adagio» fece Jacolino, «vi spiego meglio come stanno le cose. Voi ancora nella Pensione non ci potete venire, mi dispiace, manco sinni parla, se le guardie vi scoprono che vi hanno fatto trasire che non avete ancora diciott'anni, a mio patre ci ritirano la licenza.»

«Allura?» spiò Ciccio sdilluso.

«Ma se tu stisso, un minuto fa, ci hai detto...» protestò Nenè.

«Aspettate, aspettate, non parlate a vacante. Voi lo sapete che di lunedì, come i varbèri e il tiatro, macari la Pensione resta chiusa. Non si travaglia. Allura voi, ogni lunedì, potete venire in visita a trovare le buttane non come buttane, ma come amiche.»

«Come amiche e basta?» disse Ciccio.

«Ma tu sei pazzo, Jacolì! È come far vedere a

distanza un tozzo di pane a un affamato senza darglielo! Non ci vengo manco sparato» sbottò Nenè ancora più sdilluso di Ciccio.

«Lasciatemi finire, c'è qualichi speranza. La Signura Flora ha parlato chiaro: se a qualichi picciotta, chiacchiariando, ridendo, sgherzando, le piglia la fantasia, la Signura può chiudere un occhio. Capito? Ma la cosa, se capita, deve capitare a piaciri loro, pirchì il lunedì non sono a disposizione di nisciun cliente, sono pirsone libere. 'Nzumma: non dovete essere voi a domandare, mi spiegai bono?»

«Ti sei spiegato» disse Nenè. «E mi sto facendo pirsuaso che la faccenda non è semplice. Come si fa a far venire la gana a una picciotta tempo un'orata o dù? Forse don Giovanni ce la farebbe, io no.»

«La cosa si può facilitare» disse con un surriseddro malizioso Jacolino.

«E cioè?»

«Lunedì che veni, voi dù andate alla taverna di Calò e ordinate cinco chili di pisci freschissimo. Calò ve lo deve consegnare già fritto alle otto di sira. Accattate macari cinco litri di vino bono. Bono, m'arriccomando, e forti, di quello che già al primo bicchiere fa firriare la testa. Io piglio pane, aulive, sarde salate, cacio e frutta.»

«Mangiamo con loro?!» s'ammaravigliarono Ciccio e Nenè.

«Sissignura.»

«Jacolì, sei un genio!» disse Ciccio.

«Modestamente.»

«Certo che doppo una gran mangiata e una gran vivuta qualichi fantasia può venire» commentò Nenè.

«Ma attenzione: la Pensione è chiusa, non dovete tuppiare alla porta principale, dovete invece sonare al campanello dalla porta di darrè. Meno pirsone vi vedono e meglio è. Vi aspetto alle otto e mezza precise. Tanto, io dalle quattro sono già alla Pensione.»

«E che ci fai?» spiò Ciccio.

Per la prima volta i dù amici videro a Jacolino tanticchia 'mparpagliato e confuso.

«Beh... ho chiffare.»

«Ennò! Se la Pensione il lunedì è chiusa, mi spieghi che ci vai a fare?» insistì Ciccio.

«Vado a trovare alla Signura Flora.»

«Te la fai con lei?»

«Ma quando mai! È da dù misi che mi dà ripetizioni.»

«Ti dà ripetizioni?! Ti fa lezione?!»

«Sissignura. Di latino e di greco. Bravissima è! Doppo che aveva tri anni che insegnava in un liceo, le capitò un fatto per cui dovette lassare l'insegnamento, appresso incontrò un omo che... Ma è una storia longa, ve la conto un'altra volta.»

Ciccio e Nenè non furono capaci di fare altre domande. Taliavano a Jacolino 'ngiarmati. Era vero: all'ultima intirrogazione di greco, Jacolino aveva pigliato sei invece del solito tri.

La porta di darrè della Pensione era l'unica di un vicolo longo quanto la Pensione stissa, il muro d'in faccia non aveva infatti né porte né finestre, era la parte di lato di un magazzino di legname.

Ciccio reggeva con le dù mano una cassetta con le cinco bottiglie e supra ci stava posata una guantiera di cartone col pisci avvolta nella carta ogliata. Arrinisciva macari a tenere con le dita un mazzo di fiori: aveva avuto l'idea geniale di offrirlo alla Signura. Le altre dù guantiere le portava Nenè. Ciccio dovette sonare il campanello con la fronte, avendo le mano impegnate.

Per l'emozione e la faticata, i dù amici erano in un bagno di sudore.

Jacolino venne a raprire subito.

«Avanti, avanti! Benvenuti!»

Appena trasuto, Nenè s'avvicinò a una parete e la vasò.

«Ma che fai?» spiò Ciccio strammato.

«Bacio la terra promissa, ma siccome non mi posso chinare pirchì masannò i pisci sciddricano, vaso il muro.»

Erano dintra a un'anticamera con dù porte e una scala.

«Là ci stanno» disse Jacolino col tono di guida facendo 'nzinga con la testa verso le porte «i salottini per le autorità o per le pirsone che non devono essere vidute dagli altri. Acchianamo.»

Supra al pianerottolo del primo piano c'era un'altra porta chiusa.

«Qui ci stanno le càmmare indove le picciotte travagliano. Ma usano l'altra scala, quella del salone che poi vi faccio vedere.»

Si fecero un'altra rampa e arrivarono davanti a una porta stavolta aperta. La scala continuava, doveva portare al terrazzo.

Jacolino non trasì subito.

«Questo è il piano indove le picciotte e la Signura hanno le loro càmmare di dormiri. C'è puro la càmmara di mangiare, dù bagni e la cucina.»

C'era un silenzio totale. Dalla porta non veniva un filo di luce. A Nenè lo pigliò un dubbio.

«Ma le picciotte ci sono?»

«Boh» disse Jacolino. «La quindicina è cangiata aieri. Capace che stanno nelle càmmare a mettere in ordine le cose che si sono portate appresso. Ad ogni modo, trasite.»

E si mise da parte per lassarli passare.

Appena trasero allo scuro, Jacolino, che era darrè di loro, addrumò la luce. Era una sorpresa preparata in onore di Ciccio e Nenè. Stavano dintra a una càmmara di mangiare piuttosto grande, la tavola rettangolare già conzata con posate sparluccicanti.

Addritta, tri da una parte e tri dall'altra, c'erano sei picciotte, vistute di tutto punto e squasi senza trucco, che li taliavano e sorridevano. A prima vista, a Ciccio e a Nenè parsero tutte beddre assà, la più grande doveva avere da picca passata la trentina. Videnno tutta quella grazia di Dio, Nenè variò tanticchia, le gambe gli si allentarono: quella era la trovatura, il tesoro a longo cercato e che finalmente, doppo tanto penare, stava lì, a portata di mano.

«Bonasira» disse una signura sullenne e severa, con l'occhiali, i capelli a crocchia, una spilla gigante supra il vestito nìvuro accollato, che era restata assittata a capotavola.

«Buonasera» fecero le picciotte in coro.

«Buonasera» arrispunnero Ciccio e Nenè mentre Jacolino, che intanto li aveva di prescia liberati della cassetta e delle guantiere posando tutto supra un tanger, faceva 'nzinga di seguirlo.

«Signura Flora» disse Jacolino con un tono da cerimoniere, «mi permette che le presento i miei amici? Questo è Ciccio Bajo. E questo è Nenè Cangialosi. Sono studenti di liceo come a mia.»

«E asini come a tia?» spiò la Signura con la fronte aggruttata.

«No, loro sono meglio assà. Sono i primi della classe.»

Ciccio fece un inchino, sbatté i tacchi che parse un tenente di cavallaria, e pruì il mazzo di fiori alla Signura.

«Voglia gradire questo piccolo omaggio, Signora.»

La Signura calò tanticchia la testa significando che gradiva. Po', taliando la prima picciotta a mano dritta, la presentò.

«Graziella Bianchi, in arte Wanda.»

Graziella pruì la mano a Ciccio e doppo a Nenè. La Signura continuò:

«Erminia Davico, in arte Iris.»

«Emanuela Ritter, in arte La tedesca.»

«Giuseppina Ranucci, in arte Conchita.»

«Grazia Bontadini, in arte La bolognese.»

«Maria Stefani, in arte Lupa.»

Fatto il giro completo della tavola, Nenè e Ciccio s'arritrovarono davanti alla Signura. La quali distribuì i posti:

«Ciccio tra Erminia ed Emanuela. Nenè tra Grazia e Maria. Jacolino all'altro capotavola. Assittatevi.»

Mentre si facevano le presentazioni, Jacolino aveva stappato tri bottiglie e servito i pisci meglio di un cammarere. Ora ognuno era al posto suo. Nenè e Ciccio non sapevano che fare.

Vittiro, strammati, che la Signura e le picciotte, a testa calata, si facevano il signu di la cruci.

«Mangiamu, masannò i pisci diventano freddi» disse la Signura.

Principiarono a mangiare in silenzio.

"E questo sarebbe un burdellu?" si spiava Nenè tra lo sdilluso e l'arraggiato. "Vabbene che oggi è jorno di chiusura, ma qua mi pare che siamo in un collegio, in un convento!"

Inavvertitamente, la sua gamba mancina toccò quella di Grazia. La scostò come se si era abbrusciato. Non voleva che quella credeva che l'aveva fatto apposta, con 'ntinzioni.

«Mi scusi.»

«Prego.»

Manco Jacolino, che di solito aveva la faccia stagnata, pareva nel suo verso giusto, mangiava il pisci con la testa infilata nel piatto. C'era la stissa allegria di un mortorio.

«Boni 'sti pisci» fece la Signura allontanando il piatto indove c'erano restate sulo le lische tirate a lùcito.

«Buoni, buoni» dissero a coro le sei picciotte.

La Signura si susì e tutti fecero l'istisso.

«Io ho finito e mi ritiro. Scusatemi se non vi tengo ancora compagnia, ma ho un po' di malditesta.»

«Oh, quanto ci dispiace!» disse Ciccio, ma il tono gli niscì fàvuso.

«Mi raccomando» proseguì la Signura rivolta alle picciotte.

«Stia tranquilla, Signora, non dubiti» risposero quelle in coro.

«Jacolino, a tia t'aspetto dumani doppopranzo. Bonanotti a tutti.»

Voltò le spalle, scomparse da un'altra porta.

Di colpo, l'aria pesante della càmmara di mangiare cangiò come se qualichiduno aveva rapruto la finestra ed era trasuta una brezza leggera e frizzante. Le picciotte si taliarono tra di loro. Erminia scoppiò in una risata di liberazione.

«Ma chi si crede di essere, quella?» spiò Grazia.

«Ne ho girate di case» fece Graziella che era la più grande, «ma un fenomeno come questa Signora qui non l'ho mai incontrato!»

Jacolino, che stava levando i piatti lordi e mettendo quelli puliti pigliati da supra il tanger, ne tentò la difesa:

«Sapete, è stata professoressa in un liceo di Palermo e...»

«... e si vede!» l'interruppe Emanuela.

Risata generale. Allura Grazia si susì e andò a chiudere la porta dalla quale era nisciuta la Signura.

«Così non la disturbiamo» disse, ancora più ipocrita di Ciccio.

Accomenzarono a mangiare le aulive, il cacio, le sarde salate, tutte cose che chiamavano vino, che calavano sulo col vino. Nenè, tra Grazia e Maria, non faceva altro che riempire i bicchieri alle dù picciotte, e intanto chiacchiariava con Grazia, che gli piaceva assà, mentre Maria era piuttosto mutànghera.

Grazia, Nenè l'aveva taliata bene quando si era susuta: era àvuta, nìvura di capelli che portava alla zingara, grandi occhi che parevano dù pezzi di carbone. Era vistuta con una cammisetta azzurra accollata e una larga gonna blu. Per quello che s'accapiva, doveva avere un corpo da far venire un sintòmo al solo taliarlo nudo.

«È la prima volta che vieni qua?» gli spiò Grazia.

«Sì.»

«Come mai?»

«Perché ho diciassette anni. O meglio, ne ho sedici e mezzo.»

«Io ne ho venticinque. Da sei anni faccio questo mestiere.»

A Nenè lo colpì il fatto che, mentre diceva quelle parole, nella voce della picciotta non c'era altro che la notizia stissa nuda e cruda, come se aveva detto: "È da sei anni che ho pigliato il diploma". E capì macari che se spiava a Grazia 'u comu e 'u pirchì, faceva errore. Gli venne perciò logico dire:

«L'anno prossimo finisco il liceo e vado all'università. Se prima però non mi chiamano a fare il soldato.»

«Maledetta guerra» disse Grazia a voce vascia.

E lo taliò occhi nell'occhi, di certo per vedere come lui la pinsava. Pirchì aveva detto una cosa perigliosa, proprio il jorno avanti avevano 'mpiccicato strate strate manifesti che mostravano un soldato in cammisa nìvura che diciva:

"Morte ai disfattisti!"

«Guerra schifosa» disse Nenè.

E in quel preciso momento si misero a sonare le sirene. Tagliate a mezzo, s'attroncarono le risate, le parole, i respiri stessi.

«Che facemu?» spiò Jacolino.

«Andiamo tutti al ricovero» propose Ciccio. «Qua siamo troppo vicini al porto. Può essere pericoloso.»

La porta si raprì e apparse la Signura, ancora vistuta di tutto punto. Si era levata sulo la spilla.

«Ragazze, se volete andare al ricovero, andateci subito.»

«E lei che fa?» spiò Ciccio.

«Io resto.»

Si voltò e sinni tornò indove era venuta.

«Bene, andiamo» disse Graziella.

Stavano principiando a nesciri dalla càmmara di mangiare, quando si sentì il rumore degli aeroplani che s'avvicinavano. E immediatamente appresso, le batterie contraeree si scatenarono nel foco di sbarramento.

«Ora è pericoloso uscire» disse Ciccio squasi

facendo voci per farsi sentire supra il fracasso. «Cadono le schegge.»

«Astutamo la luce» suggerì Jacolino. «E rapremo la finestra. Accussì ci godiamo la maschiata, il joco di foco.»

Nenè astutò, Ciccio raprì.

Pareva che stava per fare jorno, tanto il cielo era illuminato dai traccianti delle mitragliatrici, dai fasci di luce delle fotoelettriche, dagli scoppi delle granate dei cannoncini. A Nenè, frisco di lettura di un poeta che gli piaceva assà e che si chiamava Montale, gli vinniro 'n testa dù versi e li disse ad alta voce:

> «Le notti chiare erano tutte un'alba
> e portavano volpi alla mia grotta.»

Ma nisciuno lo sentì.

Sparava la fila longa di batterie piazzate supra la collina di marna a ridosso del paisi, sparavano le cacciatorpediniere e le altre navi da guerra, sparavano macari i deci motopescherecci che erano stati requisiti e armati dai militari. E, a malgrado di quel tirribìlio di rumore che assordava e faceva male all'oricchi, sentirono avvicinarsi il rombo cupo e potenti dell'aeroplani, una truniata di temporale contro il quale si sa di non poterci fare nenti, se non sperare di scaputtarisilla.

«Abbracciami.»

Era Grazia. Nenè le passò un vrazzo torno torno alle spalle, la picciotta si strinse a lui. La sentì tremare.

«Scusami, ho tanta paura.»

Allura Nenè l'abbrazzò macari per la vita. E accussì aspettarono la sorte. Che fu benigna. Lento e sullenne il temporale passò supra il paisi, andò a perdersi in lontananza e la sparatoria a picca a picca finì.

«Stavolta non ce l'avevano con noi» disse Ciccio chiudendo la finestra.

Subito Grazia si staccò da Nenè. Jacolino addrumò la luce. Si taliarono. Avevano tutti la faccia giarna. Forse per lo scanto, a tutti era venuta una gran sete. Finero l'ultima bottiglia di prescia, ma senza allegria, non gli sperciava più manco di parlare. Oramà non era cosa. Si salutarono mentre sonavano le sirene del cessato allarme.

Il jorno appresso, Nenè, Ciccio e Jacolino pigliarono 'nzèmmula la corriera per andare a Montelusa. Ma arrivati davanti al portone del liceo seppero che la loro classe doveva trasire alla seconda ora. Accussì ebbero tempo per parlare della serata avanti.

«'Sta guerra è una gran rottura di cabasisi» disse Ciccio. «Quando le cose principiavano ad andare bene, è sonato l'allarme.»

«D'accordo» fece Nenè, «però qua il problema non è la guerra, ma la Signura Flora. È una specie di guardiano, di sergente maggiore. Io davanti a lei mi sentivo paralizzato e le picciotte parevano addivintate mummie viventi.»

«Vero è» ammise Ciccio. «Noi ci possiamo portare appresso una botte di cinquanta litri di vino, farla viviri tutta alle picciotte e quelle capace che manco si cataminano se hanno davanti a 'sta gran camurrìa della Signura.»

«Però io con la scusa del bombardamento astutai apposta la luce. Potevate approfittare» disse Jacolino.

«Jacolì, ma che ti passa per la testa? Approfittare! Ma se quelle erano più morte che vive per lo scanto!»

«Meglio. La situazione era tutta a vostro favore» insistì Jacolino.

«Ma tu, per caso, ne approfittasti?»

«Io non ho di bisogno di questo tiatro» fece sdignuso Jacolino. «Io con quelle ci vado quanno mi pari e piaci.»

«Allora, che facciamo?» spiò Nenè rivolto a Ciccio. «Ci torniamo il lunedì che viene o no?»

Ciccio restò tanticchia pinsoso. Ne approfittò Jacolino.

«Dovete considerare che il lunedì che viene è l'ultimo che queste picciotte stanno qua. Doppo, la quindicina cangia.»

«Embè?» fece Ciccio.

«Secondo mia, ci dovete per forza tornare. Le avete conosciute, dovete venire perlomeno a salutarle. Se non vi vedono comparire, capace che ci restano male assà. Pirchì fargli sgarbo?»

«Io per mia ci tornerei» disse Nenè. «Ma la Signura...»

«Badate che la Signura» fece Jacolino «la sira fa sempre accussì. Mangia tanticchia con le picciotte e po' s'arritira nella sua càmmara. Si tratta di sopportarla massimo un'orata e appresso siete liberi.»

«D'accordo» consentì Ciccio.

«Allura vi dico che feci una pinsata» disse Jacolino. «'Ste picciotte sono tutte continentali e capace che non hanno mai assaggiato il cuddriruni. Ci penso io, lo faccio preparare da Titillo 'u furnaro che lo fa bono. Voi che portate?»

«Io faccio preparare sasizza arrustuta» fece Ciccio.

«E io porto il vino» concluse Nenè. «E dato che c'è cuddriruni e salsiccia, stavolta ne porto minimo minimo otto bottiglie.»

Nella prima matina di giovedì trasì e attraccò nel porto una nave bianca che aveva supra il ponte addisignata una gran croce rossa. Era una motonave tedesca portaferiti che veniva dall'Africa.

Dù ore doppo, il federale Colleoni da Montelusa calò in paisi e convocò il podestà, il segretario politico e donna Ciccina Locrasto che era la capa delle fimmine fasciste.

«Bisogna rendere un doveroso omaggio a questi camerati tedeschi che sono stati tutti feriti in combattimento. La nave ripartirà per Genova domenica mattina. Voi, podestà, prendete contatto con la Capitaneria e, assieme al comandante del porto, fatevi ricevere dal comandante della nave. Ditegli che domattina alle dieci una delegazione di donne fasciste salirà a bordo, col suo permesso naturalmente, per portare conforto, con il loro affetto e la loro presenza, a questi valorosi combattenti. Camerata Locrasto, è inutile dirvi che le donne da voi scelte dovranno essere tutte in divisa fascista.»

«Che dobbiamo portare con noi?» spiò donna Ciccina.

«Mah, non so: fiori, frutta, dolci...»

«Federale, vi siete dimenticato che fare i dolci è proibito? Che non possiamo sprecare, in tempo di guerra, latte, farina e zucchero per queste futilità?» disse severa donna Ciccina che era una fascista osservante assai più dello stisso federale.

L'altro s'imparpagliò. Se l'era scordato pirchì a casa sua zuccaro e farina di contrabbanno non mancavano mai, datosi che era licco cannaruto di cose dolci. Glieli preparava ammucciuni la mogliere nel forno di casa.

«Ah, va bene, certo, ma io mi riferivo a qualche pacchetto di caramelle, a qualche biscottino» disse il federale paranno il colpo. «Comunque questi sono dettagli, lascio fare a voi. Soprattutto importante è la vostra presenza. Naturalmente io v'accompagnerò.»

Non fu facile a donna Ciccina Locrasto trovare fimmine disposte a fare la visita. Fasciste sì, ma certo non fino al punto di dover andare a vedere picciotteddri ridotti malamente, poviri figli di mamma, sia pure tidisca, che a chi ci ammancava un pedi, a chi un vrazzo, a chi un occhio.

E accussì donna Ciccina passò un doppopranzo a correre da Ponzio a Pilato, da una casa all'altra. Ma una aveva il figlio malato, un'altra teneva un impegno col medico, un'altra ancora doveva andare per forza a trovare una soro che si era appena sgravata, un'altra ancora ancora aveva mandato la divisa dalla sarta per allargarla tanticchia...

A farla breve, alle deci meno deci di venerdì matina, sutta alla scala della nave bianca, ad aspettare il federale, c'erano donna Ciccina e nove fimmine in divisa. Di più non se n'erano trovate.

Naturalmente le fimmine, tornate a casa, contarono ai mariti la visita che avevano fatto.

E dissero macari che dintra alla nave c'era un reparto con la porta chiusa indove, come spiegò il cumannante tidisco attraverso l'intepprete, ci stavano quelli che le ferite avevano accussì sconciato che ci voleva stomaco a taliarli, facevano sguncertù, scanto, orrore. Perciò le signore dovevano pensarci bene prima di trasire. Le signore ci avevano pensato e avevano concluso che non se la sentivano. Tanto, l'òpira bona di camaratisimo che voleva il federale l'avevano già fatta e po' era vinuta l'ora di tornare a la casa per preparare il mangiare.

Comu fu e comu non fu, fatto sta che la faccenda delle signore che si erano rifiutate di visitare i feriti che facevano spavento arrivò all'oricchi della Signura Flora. La quale, alle sei di sira, si presentò al cumannante del porto. Il cumannante del porto mandò l'intepprete a bordo della nave. Doppo manco mezzorata, l'intepprete tornò con la risposta positiva. E perciò il sabato matina alle nove e mezza le picciotte della Pensione Eva, vistute a posto e senza un filo di trucco, niscero, la Signura in testa e le altre in dù file di tri, si fecero il corso in mezzo alla curiosità della gente, arrivaro al porto, acchianaro a bordo della nave bianca, serenamente dirette al loco indove avrebbero incontrato lo scuncertu, lo scanto, l'orrore.

Nella càmmara di mangiare s'assittaro a tavola come il lunedì avanti. Le picciotte gradirono assà il cuddriruni, Grazia volle conoscerne la ricetta, quanta farina, quanto lèvito, per quanto

81

abbisognava 'mpastarla, quanto doveva stare a levitare sutta a una cuperta di lana, quanto suco di pumadoro, quanto caciocavallo, quante patate, quante sarde salate e a quanti gradi doveva essere famiato il forno.

Po', mentre stavano a mangiarsi la sasizza arrustuta a puntino, Nenè fece la mala pinsata di spiare com'era andata la visita ai feriti tidischi. Dal silenzio che subito calò, si fece capace di avere fatto un errore.

«Non sarebbe il caso di parlarne qui e ora» disse la Signura Flora che ancora non si era andata a corcare. «Ma se Emanuela ti vuole raccontare il suo incontro, forse ti basta e non vorrai sapere altro.»

Aveva parlato in taliano, come faceva nelle grandi occasioni. Emanuela attaccò a contare. Ma si vedeva che lo faceva di malavoglia, il suo accento tidisco si notava chiossà.

«Lì dentro c'erano otto letti, quattro per parte, ma uno era vuoto. Io mi sono diretta verso l'ultimo a sinistra. Mentre mi avvicinavo... c'era pochissima luce...»

«Non si vedeva niente» l'interruppe la Signura, «non c'erano oblò perché la saletta doveva trovarsi molto in basso e non aveva una luce centrale, c'erano solo otto lampadine di piccolo voltaggio, ognuna che illuminava appena un letto. Continua.»

«Quel posto, già a entrarci, faceva stringere il cuore» disse Grazia a voce vascia.

«Mentre mi avvicinavo» ripigliò Emanuela «vedevo che il ferito stava appoggiato a tre cuscini che gli tenevano il busto molto sollevato. La testa era tutta fasciata, anche gli occhi, solo la bocca era scoperta. Ma quando mi sono seduta sulla sedia al capezzale, mi sono accorta che il ferito non era seduto, ma era poggiato così perché...»

S'interruppe, si vippi tutto d'un sciato mezzo bicchiere di vino.

«... perché non aveva più le gambe. Non aveva nemmeno il braccio sinistro. Sopra la testata del letto c'era un cartoncino col nome e il grado: sergente Hans Grimmel. Ero tutta sudata, non sapevo che fare. Ho provato a chiamarlo a bassa voce, "Hans, Hans!", ma non mi ha sentito. L'infermiera, c'era solo quella, non si vedevano medici, a gesti, mi ha fatto capire che aveva perduto l'udito e la vista. Io le ho detto che parlo il tedesco, ma lei mi ha sorriso e si è allontanata. Stavo seduta pensando a quanto era stata inutile quella visita quando il ferito lentissimamente ha voltato la testa verso di me. Aveva forse sentito il mio odore, non so. Poi ha teso con fatica la mano, l'unica, come per cercarmi. Io gliel'ho presa e gliel'ho stretta. Dopo un po' ha cominciato a tirarmi a sé, ho capito che mi voleva più vicina. Mi sono inginocchiata accanto al letto. Allora lui ha lasciato la mia mano e ha preso a toccarmi leggermente i capelli, la fronte, gli occhi, il naso, la bocca, il collo. È sceso ancora più giù e si è fermato. Ho capito quello che voleva. Ho tirato fuori la camicetta dalla gonna, mi sono sbottonata, mi sono tolta il reggiseno e ho guidato la sua mano. Mi ha carezzato a lungo. A un tratto ha ritirato la mano e ha preso a tossire, forte, mi pareva stesse soffocando. Mi sono riaggiustata, mi sono alzata e ho chiamato l'infermiera. Quando si è avvicinata le ho domandato se si poteva fare qualcosa per quella tosse insistente. Lei mi ha guardato e ha risposto che non c'era niente da fare perché il ferito non stava tossendo, ma piangendo. Ecco tutto.»

"Mallitto 'u momento che m'è vinuto in testa di fare 'sta dimanna!" pinsò Nenè, visto che tutte le picciotte avevano la faccia vagnata di lacrime. La Signura, che pareva commossa puro lei, si susì.

«Bonanotti a tutti. E m'arraccomanno.»

Macari stavolta la nisciuta della Signura, che si era chiusa la porta alle spalle, allentò la disciplina. E la malinconia che le parole di Emanuela avevano fatto nascere ci mise picca a scumpariri. La gioventù di tutti aveva avuto la megliu.

«Facemo come l'altra volta, astutiamo la luce e rapriamo la finestra» propose Jacolino.

Ciccio raprì. C'era luna piena. Tunna tunna, vascia, pareva proprio all'altizza della finestra.

84

"Che luna leopardiana!" pensò Nenè, fresco di studio. Il profilo delle navi, nel gioco di nìvuro, ùmmira e luci, risaltava che pareva disegnato, inciso. Dintra alla càmmara il lume di luna era bastevole per vedersi in faccia, ma faceva parlare a tutti a voce vascia, come in segreto, va' a sapiri pirchì.

«Vuoi che ti faccia vedere?» spiò Grazia all'oricchia di Nenè.

«Sì» rispunnì Nenè senza manco sapere che cosa voleva fargli vedere la picciotta.

Grazia lo pigliò per la mano e lo tirò tanticchia narrè rispetto agli altri che taliavano fora della finestra e sgherzavano. E accussì, quando niscero dalla càmmara nisciuno se ne accorse.

Sul pianerottolo Nenè intuì, nello scuro fitto, che Grazia aviva principiato a scendere la scala.

«Accendi la luce, non ci vedo.»

«No» fece Grazia, «non voglio che gli altri ci vengano dietro. Appoggiati alle mie spalle.»

Scinnì come un cieco. Ma era felice: aveva capito che Grazia gli voleva mostrare la Pensione.

Quanto l'aviva addisiderato! Quante volte si era spiato com'era fatta dintra! Si ricordò macari di quando, picciliddro, aveva 'nfilato la testa dintra al portone e un omo l'aveva rimproverato.

Grazia girò la chiave della porta del primo piano e la raprì.

«Passa.»

Nenè trasì, Grazia darrè di lui richiuse e addrumò la luce.

Erano al principio di un corridoio nel quale s'affacciavano nove porte, cinco a mano manca e quattro a mano dritta. Sulo che a mano dritta c'era macari una scala, piuttosto larga, che portava d'abbascio.

«Qui è dove lavoriamo» disse Grazia.

Fece dù passi e raprì una porta.

«E questa è la stanza dove lavoro io.»

Una cella. Anzi, tale e quale a una cammareddra di spitale, pulitissima, ma nica nica, a momenti dintra non ci si poteva cataminare. E c'era fetu di disinfittante, proprio come in una càmmara di spitale. Ci trasivano sulo il letto a una piazza e mezza, un comodino, una seggia. A una parete c'era il lavamano e il bidè. E basta.

Grazia chiuì, avanzò ancora nel corridoio, raprì ancora una porta:

«Questo è il bagno.»

Ne raprì n'altra.

«Questo è lo stanzino della cameriera che non dorme qua.»

Un letto non ci sarebbe manco trasuto, c'era una pultruna sfondata. La cammareddra era una specie di ripostiglio stipato di linzola, fodere di cuscino, asciucamani, pezze per puliziare, scope, saponette.

«Ora andiamo giù.»

Scinnero la scala.

E Nenè s'attrovò in un salone grandissimo contornato giro giro da tanti divani di colori diversi ma della stessa forma, 'mpiccicati l'uno all'altro, tanto da parere uno sulo.

«Su questi divani seggono i clienti. Noi scendiamo da su, ci mettiamo al centro e ci mostriamo fino a quando qualcuno non ci sceglie. Allora risaliamo con chi ci ha scelto, andiamo in camera e quando quello ha finito ognuna di noi ridiscende col cliente e consegna la marchetta alla Signora. Il cliente paga e se ne va. Il posto della Signora è quello.»

Allato alla porta che dava nell'anticàmmara, c'era una pedana. Supra la pedana, un tavolino e un registratore di cassa che pareva un monumento. Darrè al tavolino, una pultruna enorme, il posto della Signura, di oro e damasco rosso, degna d'una regina. E darrè alla pultruna, sulla parete, c'era un cartello. Era il tariffario.

SEMPLICE, LIRE 3,50
QUARTO D'ORA, LIRE 7
MEZZ'ORA, LIRE 13
MILITARI ITALIANI E TEDESCHI, MILITI, CAMICIE NERE
E MILITARIZZATI, RID. 25%
OLTRE, PREZZI A CONVENIRSI

Mentre riacchianavano la scala, Grazia disse:
«In questi ultimi tre giorni, tra marinai, solda-

ti italiani e tedeschi e gente del posto, non ho avuto nemmeno il tempo di respirare.»

Tornati al primo piano, Grazia non raprì la porta per andare al secondo, ma si voltò a taliare a Nenè.

«Vuoi?»

Nenè si sentì arrussicare, non se l'aspittava.

«Se... se lo vuoi tu.»

Lei lo pigliò per la mano, se lo tirò appresso.

«Non andiamo nella tua camera?»

«No, nella mia camera no. Mi parrebbe...»

Raprì l'ultima porta del corridoio, lo fece trasire.

«Questa non viene usata mai. Serve per qualche emergenza.»

Abbrazzò a Nenè stritto stritto. Doppo tanticchia spiò:

«Ti posso baciare in bocca?»

Pirchì gli spiava il primisso?

«Sì, certo.»

Mai era stato vasato in quel modo. Dintra alla sua vucca la lingua di Grazia esplorò, liccò, assapurò, gustò. Gli firriò la testa. Mentre il suo sangue dabbascio s'arrisbigliava di colpo e pigliava a tuppiare per nesciri fora, gli principiò una specie di trimolizzo che la picciotta avvertì.

«Ma tu sei mai stato prima con una donna?»

«Una volta sola.»

«Sei emozionato?»

«Sì.»

«Anch'io» disse Grazia. «Che strano. Senti.»

Si portò la mano di Nenè al cuore, per fargli sentire quanto batteva forte.

Nenè non sapeva che sarebbe stata la prima e l'ultima volta che lo faceva alla Pensione Eva. Per la verità ce ne fu macari una seconda, ma non addipinnì dalla sua volontà.

Pirchì dù mesi appresso Nenè conobbe una picciotta più grande che studiava al terzo anno dell'università e che di nome faceva Giovanna. L'avevano chiamata dal suo paisi a dare lezioni di latino al liceo di Montelusa, datosi che i professori fagliavano, erano squasi tutti a fare la guerra. Ma non era professoressa di Nenè, insegnava in un'altra classe. Nenè, per stare la sira con lei, che aveva un quartino indove viveva sula, disse a sua matre che viaggiare con la corriera era diventato troppo pericoloso, la mitragliavano in continuazione. La meglio sarebbe stato abitare a Montelusa fino alla fine della scola. Sua matre gli trovò una càmmara presso una lontana parente.

Ma Nenè continuò, ogni lunedì sera, ad andare alla Pensione Eva con Ciccio e Jacolino. E lo faceva, macari se non gli interessava più sperare in qualichi occasione fortunata, pirchì il racconto che gli aveva fatto Emanuela gli aveva permesso

di capire che le storie che quelle picciotte potevano contare gli avrebbero permesso di capire.
Capire qualichi cosa di lu munnu, di la vita.
Aveva la possibilità di conoscere sei picciotte di-
verse ogni quindici jorni e parlare con loro e
ascutarle mentre parlavano. Si era fatto definiti-
vamente capace, "con una soddisfazione da bo-
tanico, che non era possibile trovare altrove riu-
nite specie più rare di quelle di quei giovani
fiori" (ma queste parole di Proust le avrebbe lig-
giute tanti e tanti anni appresso).

quattro

Prodigi e miracoli

Volgiamo ora il nostro calamo verso le cose che paiono degne di stupore: quelle in se stesse notevoli e stupefacenti per il loro carattere insolito.

GIRALDO CAMBRENSE, *Topographia Hibernica*

Una matina, alla scola, la professoressa di greco liggì e spiegò un'ode che Pindaro aveva scritto per un montelusano, che di nome faceva Mida, il quale aveva vinto i jochi Pitici sonando il flauto. A questo Mida era capitato, mentre faceva la gara, che gli si era rotta la linguetta dello strumento, ma lui non si era perso d'animo: girato il flauto, l'aveva trasformato in zufolo e aveva continuato a suonare vincendo la gara. Questa storia addrumò la curiosità di Nenè, gli fece viniri la gana di sapere com'era Montelusa ai tempi dei greci e dei romani. Accomenzò a frequentare una vecchia biblioteca e un jorno, cerca ca ti cerca, scoprì un rotolo indove, al principio del Settecento, un monaco aveva addisegnato una specie di topografia di Montelusa e dintorni con tutti i cangiamenti sopravvenuti nel tempo. Fu con emozione che fece una scoperta che l'appassionò: nel loco indove ora c'era la Pensione Eva, a Vigàta, una volta sorgeva un tempio che faceva

93

parte di una prima cintura di protezione sacra della città. Secundo il monaco, sempre nello stesso posto, doppo la distruzione del tempio greco ne avevano fatto un altro i romani e doppo ancora la distruzione di quest'ultimo i cristiani ci avevano costruito supra una chiesuzza per i marinari e i navicanti che però, scriveva il monaco, a quel tempo già "ruinava". Un loco eletto, perciò, un loco sacro.

«E allura, secundo tia, quando trasemo alla Pensione, che dobbiamo fare? Agginocchiarci? Prigare?» fece Ciccio quando Nenè gli comunicò la scoperta.

«Quanto sei scemo! Io voglio dire che se un loco è stato ritenuto sacro per secoli, viene a dire che qualichi cosa di diverso lo deve avere!»

«Vuoi che faccio la proposta al patre di Jacolino di cangiare il nome della Pensione in "Tempio di Venere"?»

A malgrado della sconcica dell'amico, Nenè restò persuaso che dintra alla Pensione potevano benissimo capitare prodigi e miracoli, come infatti capitavano.

Pirchì, non fu un miracolo, o un prodigio, chiamatelo come vi pare, che Jacolino, andando ogni jorno alla Pensione Eva a pigliare ripetizioni dalla Signura Flora, addivintò il primo della classe in greco e latino? E arrivò al punto di passare il compito scritto a Nenè e a Ciccio pirchì se lo potessero copiare?

«Ma com'è possibile?» si spiava la professoressa Fernanda Gargiulo, alla quale ci stava niscenno 'u senso completamente dato che non arrinisciva a spiegarsi quel cangiamento.

Per dù anni, alla prima e alla secunna liceo, l'aveva rimandato a ottobre in greco e in latino, e po', all'esame di riparazione, gli aveva dovuto dare la promozione d'ordine del signor preside. Il quale signor preside aveva ricevuto, per parte sua, l'ordine dal federale, il quale federale aveva ricevuto, per parte sua, non l'ordine ma l'umile richiesta del patre di Jacolino che gli faceva, com'era cògnito all'urbi e all'orbo, da ruffiano. Ma al principio della terza liceo, la 'gnuranza abissale, la totale incapacità di Jacolino di cataminarsi dintra alle regole di quelle dù lingue morte e difficili scomparsero per lassare il posto a un Jacolino non solo a conoscenza delle regole, ma che dintra a quelle regole si destreggiava con scioltezza e macari con una certa eleganza. Pareva che c'era addirittura nasciuto, sutta al Partenone o ai Fori romani.

Correggeva i compiti di Jacolino, la professoressa Gargiulo, ma non arrinisciva manco a farci un segno rosso, errore liggero. Gli metteva il voto, nove (il dieci, che Jacolino invece meritava, mai, piuttosto morire scannata) e accomen-

zava a pigliarsi a manate in testa come una dispirata.

«Non è possibile! Non è possibile!»

La professoressa una matina non si tenne più,
scatasciò e, perso il controllo, lo spiò, in classe,
allo stesso Jacolino. Tremava tutta per la raggia,
faceva 'mpressioni, pareva che da un momento
all'altro le pigliava il sintòmo.

«In piedi, Jacolino, e guardiamoci negli occhi.
Tu, fino a qualche tempo fa di greco e di latino ne
capivi quanto ne può capire, che so, una vacca, o
meglio, una cacca. Tu non hai nessun diritto – capito? –, nessuno, di farmi diventare pazza! Spiegami subito come hai fatto a diventare bravissimo oppure, anche se mi consegni compiti che
sembrano scritti da Demostene o da Cicerone, io
ti metto zero lo stesso. E me ne assumo tutta la
responsabilità davanti al preside e al federale!»

La classe intera si voltò a taliare a Jacolino che
stava addritta al posto suo. Il quale Jacolino era sì
una gran faccia a tenuta stagna, ma certo non poteva andare a dirle la faccenda delle ripetizioni
pigliate dalla Signura Flora. Allura ebbe un'alzata d'ingegno.

«Non è cosa che ci posso spiegari distanziato»
disse facendo la faccia disagiata.

In taliano, Jacolino non aveva fatto gli stessi
progressi che in greco e latino, dato che il casino
fagliava di altre insegnanti.

«Allora vieni alla cattedra.»

Jacolino s'avvicinò alla professoressa e le murmurò qualichi cosa, ma facendo in modo che la classe lo sentiva:

«Una notte mentre che dormiva...»

«Chi dormiva?»

«Io. Mentri che io dormiva, mi trasì nella càmmara una palumma bianca bianca. Si fece dù girate torno torno propio a pirpindicolo della mia testa e doppo scomparse. E dire che la finestra stava chiusa.»

La professoressa lo taliò strammata.

«E come aveva fatto a entrare questa colomba?»

«A mia lo spia?»

«Va bene, ma questo che c'entra?»

«Non lo saccio se c'entra. Fatto sta che da quel momento io accapiscio il latino e il greco. Lo sapi, profissorissa? Certe volti non ho manco di bisogno del vocabolario. Le paroli mi spuntano naturale.»

«Ma dici sul serio?» spiò la professoressa alla quale, essendo fìmmina chiesastrica, era venuto un subitaneo dubbio circa la vera natura della colomba bianca.

«Ci lo giuro. Capitò accussì che io, essendo che era dominica, mi feci la santa comunioni.»

Farfantarìa spaventosa. Jacolino non aveva più messo piede in una chiesa da quando aveva fatto la prima comunione a sei anni. Ciccio e

Nenè, con tutta la classe, stavano a sentirlo ammirati. Era una tra le meglio inteppretazioni che gli avevano visto fare, una cosa artistica, degna di un grande attore.

«E prigai, prigai che 'u Signuri mi faceva la grazia d'addivintare bravo in greco e in latino. E doppo andai dal parrino e ci contai che mi era trasuta la palumma.»

«E che ti disse il prete?»

«Che forsi forsi si trattava dello Spirito santo.»

Miracolato! Se le cose stavano accussì, non c'era dubbio, Jacolino era stato miracolato. La professoressa Gargiulo sbiancò, si fece 'u signo di la cruci, rimandò al posto a Jacolino e da allura in po' non gli spiò più niente. Ma ora poteva, in cuscenzia, dargli dieci.

E non fu un miracolo (macari se forse, per come andò a finire, è meglio chiamarlo mezzo miracolo) che Tatiana, che era di Reggio Emilia e per l'anagrafe era Biagiotti Teresa, arrivò alla Pensione Eva proprio quando l'avvocato Antonio Manzella era stato liberato dù jorni avanti? Si era fatto quattro anni di càrzaro duro, condanna che il Tribunale speciale fascista gli aveva dato pirchì appartenente a una cellula comunista.

Ora bisogna sapere che questa Teresa, una trentina sempre pronta allo sgherzo e alla risata, aveva il patre in galera da otto anni pirchì comunista e lei stessa era una comunista arraggiata. Teresa faceva ammucciuni servizio per il partito: datosi che ogni quindici jorni cangiava città e sapeva in anticipo indove andava a travagliare, riceveva e consegnava littre segrete e riferiva disposizioni e ordini che i compagni si scangiavano. E con tutta sicurezza: chi ci andava a pensare, infatti, a una buttana comunista?

Dù jorni doppo che era arrivata alla Pensione Eva e s'ammostrava mezzo nuda nel salone, un cliente le spiò come si chiamava.

«Tatiana.»

«Andiamo.»

Appena dintra alla càmmara, Tatiana si stava levando le mutandine quando il cliente, che era un quarantino serio, vistuto di nìvuro, con gli occhiali d'oro, alzò una mano e disse:

«Fermati. Ho un parente a Reggio Emilia.»

Era la frase di riconoscimento. Tatiana s'assittò supra il letto, l'omo restò addritta.

«Domani verrà a trovarti un compagno. È stato rimesso in libertà dopo quattro anni di carcere duro. Mi è stato detto che tu, quando hai finito qua, vai a lavorare a Trani. È vero?»

«Sì.»

«Bene, è una felice coincidenza che tu sia qui e poi vada a Trani. Perché questo compagno deve dirti delle cose importanti proprio per i compagni di Trani. Attenta, devi essere tu a scegliere lui, a fargli capire che sei la persona giusta. Non può certo ripetere quello che ho fatto io oggi domandandoti come ti chiami, darebbe all'occhio.»

«Ma io come faccio a riconoscerlo?»

«Gli manca l'ultima falange del mignolo della mano sinistra. Ah, senti, non ti devi sorprendere se vuole... dopo quattr'anni che non vede una donna, capisci...»

«Non è sposato?»

«Lo era, ma sua moglie se ne è andata via da casa appena l'hanno arrestato. Pare che non aspettasse altro. Anzi pensiamo, ma non ne abbiamo le prove, che sia stata lei a denunziarlo.»

Sinni stettero ancora cinque minuti in càmmara, in silenzio. Po' Tatiana arramazzò il letto, si lavò, s'asciucò le mano. La cammarera doveva trovare tutto come se avevano consumato. Quindi scesero la scala, l'omo pagò la marchetta semplice e Tatiana tornò a travagliare.

Durante la notte, Tatiana s'arrisbigliò. E pensò all'omo che avrebbe conosciuto l'indomani, quello che s'era fatto quattro anni di càrzaro duro. E pensò macari a suo patre che sinni stava in galera dal duppio di tempo e ancora ci doveva restare altri dù anni. Si commosse. E le passò per la testa di fare una bella sorpresa all'omo che doveva venirla a trovare.

La sera appresso, lo riconobbe subito in mezzo a una decina di clienti che non si decidevano a scegliere. Lo riconobbe pirchì, a malgrado che stava in mezzo agli altri, era un omo sulo, o meglio pareva in mezzo al deserto, avvolto com'era in una specie di cappa di solitudine, non parlava con nisciuno, non rideva alle barzellette vastase che uno stava contando ad alta voce. Fumava con la mano mancina, e si vedeva benissimo che al mignolo della mano ci mancava la falange. Tatiana non perse tempo, gli si mise davanti a gambe larghe, la vestaglia quasi tutta aperta, una mano infilata sutta come per toccarsi, l'altra all'altizza del petto come per carezzarsi una minna.

«Chi sei, tu? Chi sei?» si mise a dire a voce alta. «Appena t'ho visto mi sono sentita tutta calda! Tu saresti capace di farmi impazzire! Vieni, dài, che non resisto più!»

L'omo, che era l'avvocato Manzella, mischino, era affruntato, tutto rosso in faccia. Tatiana gli porse la mano, lui la pigliò, si susì dal divano, acchianò con lei la scala.

Trasuti nella càmmara, l'avvocato crollò supra la seggia. Era tutto sudatizzo, si passò un fazzoletto supra la fronte. Quello che aveva visto fare a Tatiana era stato un vero e proprio colpo di grazia per il suo pititto fimminino attrassato da quattr'anni.

«Scusami, ma dovevo fare così, sennò...» disse Tatiana che aveva capito la situazione del povirazzo.

L'avvocato fece 'nzinga che scusava. Ma si vedeva che stava patendo l'infernu a stare dintra a una càmmara con una beddra picciotta cummigliata per modo di dire da una vestaglina. Compagna, certo, ma sempre una gran beddra picciotta. Riuscì a ragionare tenendo l'occhi eroicamente fissi supra il lavandino.

«Dunque, quando sarai a Trani verrà a trovarti...»

Parlò filato per tri minuti. Preciso e chiaro. Quando finì, spostò l'occhi dal lavandino a Tatiana e la taliò. Raprì la vucca faticando, pareva che non riusciva a scollarsi dalla seggia:

«Bene. Ecco tutto. Adesso io vado e...»

Ma non arriniscì a susìrisi dalla seggia. Era chiaro che stava morendo di desiderio, però non gli pareva giusto di domandare a una compagna, sia pure buttana, di fare quella cosa. Lui lì ci era andato per una faccenda di partito e basta.

«No» disse risoluta la picciotta.

Tatiana non poteva lassarlo a vucca asciutta, a un compagno che erano quattr'anni che non toccava fimmina. E po' gli aveva prepàrato una bella sorpresa. Si susì, gli s'avvicinò, gli levò la giacchetta, la cravatta, la cammisa, doppo si calò, gli tolse le scarpe, gli sfilò cazuna e mutande. Sulo allora l'omo trovò la forza di susìrisi addritta. Tatiana, a vederlo, si scantò che poteva scoppiare come una melagrana, tanto la parte ominisca era congestionata. L'avvocato, certamente per evitare di stimpagnare prima del tempo, prima ancora d'accomenzare, teneva l'occhi inserrati. Aveva il respiro affannato.

«Un momento solo» disse Tatiana.

Si voltò di spalle, pigliò una cosa dalla sacchetta della vestaglia, una cosa che gli aveva dato suo patre e che lei si era sempre portata appresso tenendola ammucciata, si mise nuda, armeggiò tanticchia all'altezza della sua parte fimminisca. Doppo si stinnicchiò supra il letto e disse ridendo:

«Apri gli occhi e guarda!»

L'avvocato raprì l'occhi e vide.

Attaccato con un nastrino rosso ai riccetti della parte fimminisca di Tatiana, ci stava un piccolo medaglione rotondo dintra al quale c'era la fotografia colorata del compagno Stalin, baffoni, berretta militare, taliata sorniona, tutto.

Lui, la luce dei popoli, il condottiero invincibile, il capo assoluto e supremo! Lui!

E pareva che stava ad aspettare l'avvocato Manzella proprio davanti all'ingresso. E pareva macari che gli diceva:

"Compagno, fammi vedere di cosa sei capace!"

Per buon peso, Tatiana principiò a cantare, a vucca chiusa, vascio vascio:

«Avanti popolo, alla riscossa!
Bandiera rossa! Bandiera rossa!»

Sutta all'occhi strammati della picciotta, la melagrana, da rosso-viola che era, addiventò dapprima verde e po' si fece giarna, da squasi supra il punto di scoppiare che era accomenzò a sgonfiarsi fino a diventare un picciolo nico nico e rinsecchito.

Ammàtula Tatiana, fatto scomparire il medaglione, sull'orlo delle lagrime per il danno fatto, mise in opera il meglio dell'arte sua per far rifiorire il frutto. Non ci fu verso.

E che dire di quello che capitò in quel lunedì che la Signura Flora non fu presente a tavola pirchì approfittò del jorno di libertà per andare a trovare a Palermo una sua soro che era malata seria?

In quel lunedì, che po' fu ricordato come "la serata epica" o "la serata delle metamorfosi", vennero a combaciare, ad appattarsi, almeno tri felici e casuali combinazioni.

La prima fu che Jacolino, che non si capiva come arrinisciva di tanto in tanto a presentarsi con roba dei tidischi (o si capiva benissimo dato che suo patre coi tidischi c'intrallazzava), s'arricampò quella sera alla Pensione Eva con dù bottiglie di un liquore virdastro, impossibile capire come si chiamava, che quando se ne beveva una sula stizza pareva foco nel cannarozzo. Questo liquore, ammiscato col vino ad alta gradazione, fu capace di provocare una 'mbriacatura totale, persa, di quelle che passano tri jorni doppo.

La secunda fu che Nenè aveva appresso l'*Orlando furioso* che gli aveva restituito un amico incontrato tanticchia prima di andare alla Pensione.

La terza fu la composizione, piuttosto stramma, della nova quindicina. Infatti, delle sei picciotte arrivate la sera avanti, cinco parivano fabbricate con lo stampino. E il bello è che parlavano lo stisso 'ntifico dialetto. Erano tutte tracagnotte, minnute e di natiche grosse, squasi certo che erano state viddrane abituate alle faticate di campagna. Spesso parlavano vastaso (in genere, le picciotte parlavano accussì sulo davanti ai clienti) ed erano capaci della qualunque senza affruntarsi, senza vrigognarsi. La sesta invece faceva cezzioni, era alta e rossa di pelo e capelli, biddricchia, piuttosto riservata.

Quando 'sta picciotta, nome d'arte Giusi, vide il libro che Nenè aveva posato supra il tanger, lo andò a taliare.

«Ah, l'*Orlando furioso*!» disse.

Nenè fu pigliato di curiosità.

«Lo conosci?»

«Sì. Me ne hanno fatto leggere qualcosa a scuola.»

«Che scuola hai fatto?»

«Sono arrivata alla seconda liceo.»

Ma si vedeva che non aveva gana di parlare delle cose sue, e Nenè lassò perdere.

Mangiando, ma soprattutto bevendo, le voci si isarono di tono, le risate si fecero più àvute. Una delle picciotte contò una storia che le era capitata in un casino piemontese.

La prima sera che arrivò, disse, aveva notato a uno che subito appena la vide non le levò più l'occhi d'incoddro. La taliava e la taliava, ma non si faceva avanti, non la sceglieva. Lei andava con un cliente, tornava e quell'omo sempre lì, assittato a taliarla. La sera appresso capitò la stissa cosa e macari la sera doppo. Sulo all'ultima sera della quindicina l'omo si susì, le fece 'nzinga e andò in càmmara con lei. La picciotta, tra curiosa e scantata, si disponeva già a un assalto violento quando l'omo, mutànghero, fattala assittare supra il letto, s'agginocchiò vistuto com'era, le posò la testa supra le gambe e restò accussì, senza parlare, senza cataminarsi. Doppo un quarto d'ora che stava agginucchiato e a lei le erano venute le formicole, l'omo infilò una mano 'n sacchetta, cavò una caramella, la scartò a lento, se la mise dintra la vucca, doppo la tirò fora, la taliò e l'infilò nella vucca della picciotta.

«Non masticarla» le raccomandò.

Doppo tanticchia l'omo disse:

«Ridammela.»

La pigliò e se l'infilò nuovamente nella vucca. E

accussì, 'na vota tu e 'na vota io, la caramella finì.

«È stato bellissimo, grazie» disse l'omo.

E andò a pagare la mezzora.

Tutti risero.

«A Milano» attaccò subito una seconda «un cliente, appena ci spogliammo, volle che restassimo in piedi, messi di fronte. Poi allungò l'indice della mano destra sul mio capezzolo sinistro, premette e fece "nguuuuu" con la bocca, sembrava veramente il clacson di un'automobile. Poi puntò l'indice sinistro e premette il capezzolo destro facendo "ngheeeee", un altro tipo di clacson. Dopo, con la mano destra a pera, prese la tetta sinistra, e cominciò a stringerla e a lasciarla facendo "pepèpepèpepè", come una tromba d'automobile. Con la sinistra fece lo stesso alla destra, ma cambiò il suono della tromba che diventò "potipoti potipoti". Era bravissimo, imitava questi suoni perfettamente. Da quel momento si scatenò: "pepènguuuuupotipotingheeeee"... Sempre più veloce, sembravamo al centro di Milano in mezzo a un traffico impazzito. Era diventato rosso, congestionato e quando sentì che stava per concludere, alzò le braccia e fece il fischio di una locomotiva. Ma così forte e potente che tutti uscirono spaventati dalle altre camere.»

«E quella volta che un cliente voleva farlo mettendoci tutti e due a testa in giù e piedi in aria?» principiò la terza.

«E quella volta che un cliente, dopo avere finito, accese un fiammifero e se lo bruciò perché gli aveva fatto commettere peccato?»

«E quella volta che a un cliente, rivestendosi, gli caddero un breviario e un rosario dalla tasca?»

«E quella volta che...»

Ognuna contò la sua. E Nenè le ascutava, quello che le picciotte contavano addivintava, dintra a lui, come acqua di cielo supra un terreno assetato. Appresso, le cinco tracagnotte accomenzarono a dire che c'era troppo càvudo e si levarono le cammisette restando in reggipetto. Po', le tracagnotte si misero a discutere in dialetto, e la discussione diventò sempre più arraggiata. Ci fu un momento che stavano per pigliarsi per i capelli. Appresso ancora, una parlò tanticchia e l'altre, alla fine, acconsentirono ridendo. Assistimarono tre seggie una allato all'altra, spostarono la tavola, fecero assittare a Nenè, a Ciccio e a Jacolino supra le tri seggie e loro gli si schierarono davanti.

La sesta picciotta, che non si era levata la cammisetta, andò al tanger e si mise a sfogliare l'*Orlando furioso*.

«Uno!» disse la picciotta che aveva parlato prima portando le mano darrè la schiena.

Le altre picciotte fecero l'istisso gesto.

«Due!»

Le picciotte armeggiarono con le mano.

«Tre!»

Le picciotte si sfilarono i reggipetti, li lassarono cadere in terra.

«Chi ha le tette più belle?» spiò la picciotta che comandava.

«Matre santa! Il giudizio di Paride!» fece entusiastico Jacolino.

«Possiamo toccare?» spiò Ciccio.

«Certamente» arrispunnì la solita picciotta.

Per una mezzorata taliarono da vicino e da luntano, toccarono, strinsero, soppesarono.

«Per me, la vincitrice è la prima a sinistra» disse Nenè.

«Per me, è l'ultima a destra» disse Ciccio.

«Tutte» disse Jacolino.

«Avanti, decidetevi» fece la solita picciotta capa.

Ma la faccenda stava pigliando un'altra piega. Troppo vino, troppo liquore verdastro. Ciccio taliò malamente a Nenè.

«Mi consenta di dirle, signore» fece, passanno dal tu al lei e parlando taliano, «e anche se non me lo consente glielo dico lo stesso, che lei è un incompetente assoluto in fatto di bellezza femminile.»

Nenè arrussicò.

«Sappia, signore» disse, «che quando io già mi sollazzavo con una donna, lei credeva ancora che i bambini li portava la cicogna.»

Ciccio si susì, arraggiato.

«Si ritenga schiaffeggiato, signore!»

«Bene, riceverà i miei padrini.»

I padrini possibili erano dù. Jacolino e Giusi. Nenè si pigliò a Jacolino e Ciccio a Giusi. Jacolino, serissimo, si avvicinò a Ciccio e gli spiò quando e come voleva battersi in duello. Ciccio arrispunnì che avrebbe dato la risposta doppo essersi consultato con Giusi.

La quale parlò a longo con Ciccio. Aveva pigliato l'*Orlando furioso* e glielo ammostrava. Ciccio parse convinto. Allura Giusi andò a riferire a Jacolino e a Nenè.

«Il mio assistito vuole battersi qui e ora. L'arma è la lancia. Il duello si svolgerà a cavallo. Signori, adesso tocca a voi scegliere il cavallo» concluse facendo 'nzinga verso le cinque picciotte.

Com'era logico, Nenè sciglì la picciotta che secundo lui aveva le più belle minne, Ciccio fece l'istisso con l'altra picciotta, quella che aveva scelta come vincitrice del giudizio.

«I duellanti e i cavalli devono combattere nudi» ordinò Giusi. «Il pubblico si segga lasciando libero il centro della camera.»

«Macari il pubblico devi assistere nudo!» ordinò Jacolino, dando l'esempio.

Venne ubbidito in mezzo a un mare di risate e vociate. Giusi però non si spogliò, niscì dalla càmmara, tornò con dù bastoni di scopa, ne dette uno a Ciccio e uno a Nenè:

«Queste sono le vostre lance.»

Le dù picciotte che dovevano fare da cavallo, una volta spogliate, s'appuntarono con le forcine i capelli a crocchia supra la testa.

«No» disse Nenè. «I cavalli hanno la criniera. Che è 'sta novità?»

Intervenne Giusi.

«Coi capelli sciolti potrebbero farsi male.»

«Quali sono le modalità del combattimento?» spiò Nenè mentre si metteva a cavallo delle spalle della picciotta.

La quale, per mantenerlo in sella, lo tenne stretto con le dù mano afferrate alle cosce.

Nenè, tanticchia preoccupato, spiò al suo cavallo:

«Baiardo, mi reggi?»

«Ma se non pesi niente!» lo rassicurò il cavallo Baiardo.

E lanciò un nitrito al quali arrispunnì il nitrito del cavallo supra il quale era montato Ciccio all'altro capo della càmmara.

«Se il tuo cavallo si chiama Baiardo, sappi che il mio cavallo è Rabicano» disse Ciccio.

«E tu allora saresti Astolfo? Ah ah!» ridì con sconcica Nenè.

«E tu allora saresti Rinaldo? Ah ah!» ribattì Ciccio.

«Al mio via cominciate il combattimento» disse Giusi. «Al mio alt vi fermate. Il primo che cade da cavallo ha perso. Pronti?»

A questo punto Nenè isò in alto la lancia e declamò, con voce di puparo:

«Corri veloce, mio bravo Baiardo,
così d'Astolfo ne facciamo lardo!»

Ciccio non perse la battuta:

«Corri veloce, mio bravo ippogrifo,
Rinaldo e il suo Baiardo fanno schifo!»

«Pronti?» ripeté Giusi.

I cavaleri si prepararono lance in resta.

«Si accettano scommesse!» gridò Jacolino.

«Via!»

I dù cavalli partirono di corsa.

«Bududun bududun bududun» fece Jacolino che aveva deciso d'occuparsi del sonoro.

Quando lo scontro frontale parse inevitabile, i dù cavalli scartarono e si scansarono. Il primo assalto si era risolto con un semplice cangiamento di posto. E Ciccio, isando la lancia:

«Fatti sotto, Rinaldo, se hai coraggio,
ti buco come svizzero formaggio!»

E Nenè:

«Astolfo, vieni, attacca, fatti ardito,
ti do un colpo di lancia e sei finito!»

Si rimisero lancia in resta. Cioè a dire tenendo i manici di scopa infilati sutta alle ascelle.

«Via!» ordinò Giusi.

Partirono all'attacco nuovamente. Ma fatti manco dù passi, Rabicano sciddricò e cadde supra le ginocchia. Astolfo, disarcionato, gettò la lancia, tentò di tenersi alla criniera del cavallo, cioè alla crocchia, ma cadde a sua volta di schiena. Baiardo, per non andare a sbattere contro Rabicano, si bloccò di colpo. Rinaldo volò in aria, lassò la lancia, atterrò facendo una specie di cazzicatummula.

E scoppiò una risata generale. Pirchì i coraggiosi e indomiti cavalieri, tutti e dù a panza all'aria, mostravano ora in resta le loro lance personali, quelle naturali, che, certo per il longo sfregamento contro il cozzo sudatizzo delle picciotte, orgogliosamente si ergevano verso il cielo. E qui capitò il prodigio della metamorfosi. Pirchì a quella vista il cavallo Rabicano, cangiatosi per magarìa nel paladino Astolfo, supra il suo ex patrone gettossi, con un selvaggio grido di subito montollo e impetuosamente cavalcollo, tra le urla d'incoraggiamento degli astanti, mentre, senza por tempo in mezzo, il medesmo facea Baiardo tramutato in Rinaldo. Lunga e priva di pietade fue la pugna, finché li cavalli non giacquer sanza più sangue nelle vene, immoti...

Il cavaliere Calcedonio Lardera, che aveva ottanta e passa anni, ogni sera, come altri vanno al circolo o al ginematò, s'appresentava alla Pensione Eva e ci restava fino all'ora della chiusura. Vidovo, senza figli, ursigno e sivuso di natura e perciò senza amici né parenti che gli volevano bene, campava ora di rendita, una rendita che gli bastava appena per le strette necessità, ma una volta era stato ricco assà. Si diceva in paisi che era stato un gran fimminaro, ma venuti a fagliargli tanto il denaro quanto la forza masculina per assicutare fimmine come aveva sempre fatto, trovava conforto in queste caste visite serali, indove, in mancanza di meglio, gli arrivavano nelle nasche il sciàuro delle fimmine e nell'oricchi le loro risate. Puntuale, alle nove spaccate trasiva e s'assittava sempre allo stisso posto (da quanti anni era segnato con un cartellino che recitava: "riservato al cav. Calcedonio Lardera"?), appoggiando le dù mano supra il manico d'avorio intarsiato del bastone e supra le mano il mento. S'arricriava con l'occhi, non potendo con altro. Quelli che lo conoscevano bene, spesso gli spiavano consiglio su qualichi fimmina di una nova quindicina:

«Cavaleri, che mi dice di 'sta Ines? Vali la pena della marchetta?»

Il cavaliere, sospirando al ricordo delle spirenzie passate e oramà senza più possibilità di averne ancora una, una sula, un'ultima fitusa spirenzia, dava la sua sentenza a occhio. E non fallava mai.

Macari quando la guerra addiventò più feroce e l'aeroplani arrivavano a bombardare a tradimento, senza che la sirena aveva il tempo di dare l'allarme, il cavaliere si fece sempre vedere al posto suo.

Una sera, a tri passi dal portone della Pensione, una bomba 'mprovisa gli scoppiò a cinque passi di distanza e mentre si scatenava lu 'nfernu di ferro e foco di esplosioni, mitragliate, cannonate, il cavaliere venne 'mpicciccato dallo spostamento d'aria contro il muro della Pensione. Un centinaro di schegge gli sagomarono il corpo e, con la stissa precisione di un lanciatore di coltelli in un circo equestre, non una lo ferì. L'incursione aerea passò, veloce com'era arrivata. E tutti quelli che si trovavano dintra alla Pensione e si stavano ripigliando dallo spavento videro trasire il cavaliere piegato in dù che gridava, tenendosi le mano all'altizza del vascio della panza:

«Pi carità, prestu! Prestu! Pi carità!»

Supra alle voci scantate e impressionate delle picciotte e dei clienti si levò alta quella della Signura Flora, mentre si precipitava verso il cavaliere:

«Chiamati a 'u dutturi! Purtatemi la valigetta del pronto soccorso! 'U cavaleri è feritu!»

«Ca quali feritu e feritu!» disse il cavaliere torciuniandosi e scostando la Signura Flora che l'aveva pigliato per un braccio. «Una fìmmina, prestu!»

«Quali fìmmina?» spiò 'ntronata la Signura.

Ma il cavaliere non le arrispunnì, si mise a correre verso le picciotte che si erano aggruppate in mezzo al salone, ne agguantò una a volo, si

115

chiamava Manola, se la tirò appresso acchianando la scala.

«Prestu, Manola, prestu!»

Il movimento dintra alla Pensione si fermò, tutti si andarono ad assittare in silenzio, aspettando il ritorno del cavaliere. Ma che gli aveva pigliato?

Possibile che doppo tanti anni di disarmo...?

Passarono cinque minuti, ne passarono dieci.

«Deve essere morto» azzardò uno dei clienti.

«Non credo, Manola si sarebbe messa a fare voci» disse la Signura Flora.

Nenti. Al trentunesimo minuto il cavaliere e la picciotta apparsero in cima alla scala.

«Neanche un ragazzo di vent'anni!» proclamò Manola. «Mi ha sfiancata!»

Tutti i presenti si alzarono e applaudirono.

«Il cavaliere paga la mezzora» fece orgogliosa Manola alla Signura, consegnandole la marchetta.

«Il cavaliere non paga nenti. Questo è un omaggio a gratis» disse la Signura Flora.

Da allura in po', appena accomenzavano a cadere le bombe, il cavaliere nisciva e caminava strate strate, sperando che una nova bomba ripeteva il miracolo, quello che l'aveva fatto tornare picciotto per una mezzorata. Nenti, le bombe cadevano troppo lontane da lui. Allura ebbe la pinsata di procurarsi una pila grossa, una specie di potente torcia tascabile che mandava dù tipi di luce, una fissa e una a intermittenza. Quando sonava l'allarme o quando bombardavano macari senza allarme, nisciva all'aperto e addrumava e astutava la torcia, sperando d'attirare accussì l'attenzione dell'aeroplani. Invece, dù jorni avanti che arrivavano i miricani, attirò l'attenzione di un milite di guardia che, scangiandolo per una spia che faceva segnalazioni al nemico, gli sparò e l'ammazzò.

Il primo jorno che arrivò alla Pensione Eva per passarci la quindicina, che era il ventisette d'agosto, Nadia trovò ad aspettarla una littra che suo fratello Filippo gli aveva mandato dal càrzaro di Milano. La littra diceva che Filippo aveva ottenuto la revisione del processo che era finito con la sua condanna a vent'anni e che c'erano buone speranze che col novo processo l'avrebbero rimesso in libertà. Pirchì lui era, e lo ripeteva per la millesima volta, innocente. Ma per questo novo processo, indove a difenderlo ci sarebbe stato uno dei massimi avvocati di Milano, ci volevano, tra 'na cosa e l'autra, fatti tutti i conti possibili, non meno di diecimilasettecentocinquanta lire. E chi ce l'aveva tanto denaro? Ninetta (Nadia era nome d'arte) poteva dargli una mano d'aiuto? Se non poteva, pacienza. Sarebbe rimasto carzarato.

Nadia si mise a piangere disperata: tutti i risparmi che era riuscita a mettiri da parte assommavano a mille e trecento lire, nenti a paragone di quello che ci abbisognava per rifare la causa.

Quella notte non arriniscì a pigliare sonno, la passò ad arramazzarsi dintra al letto, a chiàngiri, a prigari a 'u Signuruzzu, 'a Madunnuzza e soprattutto a sant'Ambrogio. E fece un voto: che non avrebbe fatto all'amuri per suo piacere (e non per travaglio, quello era un'altra cosa) se prima non arrinisciva a trovare il denaro che le abbisognava.

La matina, quando la Signura Flora la vide con l'occhi rossi e gonfi che parevano dù pummadori maturi, se la chiamò a parte e Nadia le fece leggere la littra di Filippo. La Signura Flora la compatì e cercò ammàtula di darle conforto.

Durante la seconda scunsulata nuttata, mentre pregava a sant'Ambrogio, le venne un grandissimo malo di testa. Cercò le pillole per prenderne una e non le trovò, doppo si ricordò che le aveva lassate dintra al comodino dell'altra càmmara, quella indove ci travagliava coi clienti. Niscì completamente nuda, faceva troppo càvudo, scinnì la scala che portava al primo piano, raprì la porta della sua càmmara di travaglio, addrumò la luce e per picca non svenne.

Assittato supra la seggia stava un monaco, un giuvane bellissimo, con la tonaca bianca, una mantella nìvura e una gran barba. Ma la cosa che la strammò più di tutto fu che il monaco, pur non avendo i lineamenti d'un negro, era nìvuro di pelle.

«Com'è entrato?» spiò la picciotta scantata.

«Io non ho problemi a trasire indove mi pare e piace» disse il monaco.

«Che vuole da me?» spiò Nadia tanticchia più calma, vedendo che l'omo sinni restava tranquillamente assittato e le sorrideva.

Quel giovane, monaco o no, era veramente 'na billizza rara, nasceva da lui una specie di calore, di energia, di forza che attraeva come una calamita. A malgrado del malo di testa e del pinsero di Filippo, Nadia arriniscì a tenersi a malappena dal currere ad assittarsi supra le sue ginocchia, e abbrazzarlo e vasarlo.

«Che voglio? La stessa cosa che vogliono l'òmini che ti vengono a trovare» disse il monaco taliandole le minne e le cosce.

Nadia avvertì quella taliata come una carezza lenta lenta supra la sua pelle, una carezza talmente piena di desiderio, di passione, che le fece divìntare le gambe di ricotta.

«No, mi deve scusare, ma non me... non me la sento» disse faticosa. E aggiunse, per evitare che quello poteva pensare che rifiutava pirchì lui non le piaceva:

«E poi non potrei comunque, a quest'ora è chiuso, non facciamo servizio.»

«Manco se ti pago bono?»

«Nemmeno.»

«Di dove sei?»

«Di Milano.»

«Quindi il tuo santo protettore è sant'Ambrogio.»

«Sì.»

«E tu lo preghi qualichi volta?»

«Sì.»

«Invece il santo di qua si chiama san Calogero. San Calò. Dato che ti trovi da queste parti, ti conviene pregare lui. Milano è luntana.»

Mentre il monaco parlava, Nadia, senza manco accorgersene, gli si era avvicinata. Le sue gambe si erano cataminate da sole, non avevano potuto sottrarsi alla potente, misteriosa forza d'attrazione che veniva da quel corpo di màscolo forte, corpo che s'indovinava tutto sutta alla tonaca. E po': che occhi che aveva quel monaco! Un lago nìvuro e senza funno. E che vucca!

La vucca che s'attrovò, senza sapere come, a vasari alla dispirata.

Pruvando un piaciri che mai nella sua vita... un piaciri accussì intenso che le bastava un'altra vasata sula per...

Piaciri? E il voto che aveva fatto? La promessa

sullenne? No, non la poteva mancare per il bene che voleva a suo fratello Filippo. Si susì di scatto da supra le gambe dell'omo che però ancora non l'aveva abbrazzata, anzi, non l'aveva manco sfiorata. E non aveva nemmeno risposto alla sua vasata.

«Non posso, mi scusi.»

E niscì dalla càmmara portandosi appresso la scatolina delle pillole. Ma stranamente non ne ebbe di bisogno, il malo di testa le era passato, tanto che arriniscì a pigliare sonno. Però, un minuto prima d'addormentarsi, una preghiera a questo santo locale che non conosceva, san Calò, gliela disse. Quando il jorno doppo stava per andare a travagliare, cercò la scatolina delle pillole e non la trovò. Scinnì nella sua càmmara al primo piano e raprì il cassetto del comodino: la scatolina era lì. Restò 'mparpagliata. Ma come? Non se l'era portata appresso la notte avanti quando aveva incontrato il monaco? Però, a pensarci bono, 'sta storia del monaco era capitata veramente o se l'era sognata? A ragionarci a menti fridda, tutto doveva essere stato un sogno dovuto all'agitazione, alla tensione nirbusa nella quale s'attrovava. Figurarsi! Un monaco che viene a cercare una fimmina in un casino e non si sa come ha fatto a trasire! Un monaco nìvuro! Che cosa di fantasia! Squasi se ne vrigognò.

Verso le dieci di quella sera stessa, sentì che le acchianava qualichi linea di fevri. Avvertì la Signura Flora, che l'autorizzò a interrompere il travaglio, e si andò a corcare. Aveva una gran sete, la vucca riarsa. La Signura l'andò a trovare a mezzanotte e volle che si metteva il termometro. Trentotto e mezzo.

«Cerca di riposare. Domani a matino chiamo 'u dutturi.»

Riposare: una parola! Quando si fecero le tri di notte, Nadia si susì e capì che doveva per forza scendere nella sua càmmara al primo piano. Scinnì la scala allo scuro, non voleva che le sue compagne la sentivano cataminarsi. Quando raprì la porta il monaco era lì, assittato.

«Ti aspettavo.»

«E io sono venuta.»

«Ti volevo dire che m'informai.»

«Su cosa?»

«Su tia, sulla tua vita, su tuo fratello Filippo.»

«Ma come ha fatto a...»

«Ho tanti amici. E st'amici m'hanno detto macari che tuo fratello è completamente straneo alla faccenda, è 'nnuccenti.»

Quelle parole sonarono accussì vere e accussì convinte che Nadia sentì il sangue che le si fermava di firriare nelle vene. Cadì agginocchiuni, le lagrime che le scolavano supra la faccia.

«Dice sul serio?»

«Io non sgherzo mai. E ti dico un'altra cosa: io posso fare in modo che tuo fratello vinca il processo.»

«E allora lo faccia, per carità!» lo supplicò Nadia stendendo verso l'omo le mano giunte a preghiera.

«C'è una condizione.»

«Quale?»

«Che tu dai macari a mia quello che dai all'altri.»

«No, questo no.»

«Pirchì?»

«Perché...»

«Avanti.»

«Perché con te sento che proverei piacere.»

«Embè?»

«Ho fatto un voto. E non lo posso mancare.»

Non c'era altro da dire. Più che caminare, si strascinò nel corridoio, si strascinò supra la scala, si strascinò fino al letto della sua càmmara. E, senza più forze, s'addormentò. L'indomani a matino non aveva febbre, si sentiva solamente ammaccagnata. E perciò non ci fu bisogno di chiamare il dottore. Ci mise picca, Nadia, a farsi persuasa che la faccenda del monaco era stata macari stavolta una sorta d'incubo. Per 'u sì e per 'u no, spiò alla Signura Flora se qualichiduno, di notte, poteva trasire ammucciuni dintra alla Pensione.

«Ma sei pazza?» fu la risposta.

Il trentunu matina venne arrisbigliata da una potente rumorata di tamburi. Taliò di darrè la persiana: dodici òmini, in cammisa bianca e cazuna nìvuri, ognuno con un gran fazzoletto colorato annodato in testa, sonavano ritmicamente dodici tamburi di diversa grandezza.

«È cominciato il festeggiamento di san Calò» spiegò la Signura Flora alle picciotte che erano tutte continentali. «E domani che è la prima domenica di settembre, jorno della festa, la Pensione resta chiusa per divozione. È il santo del popolo, di l'infelici, dei malati, dei povirazzi, dei morti di fame. La festa vale la pena d'essiri viduta, quelli che portano la statua del santo vanno di corsa, supra alla vara ci stanno tanti picciliddri malati, dalle finestre e dai balconi gettano fette di un pane speciale, fatto apposta, e il pane non arriva mai a toccare terra, viene pigliato a volo dalla gente che va appresso al santo.»

«Lei ci va?» spiò una alla Signura.

«Io sì. Se volete venire con mia, bene. Il santo nesci dalla chiesa domani all'una precisa.»

Il jorno doppo mangiarono presto e alla mezza niscirono tutte, meno Nadia che non aveva gana. Se ne andò a corcarsi, a pensare alla malasorti. Verso le sei udì la rumorata dei tammuri avvicinarsi, la processione stava per passare davanti alla Pensione. Allora si susì, andò alla finestra, raprì tanticchia le persiane. La prima cosa che vide fu la statua del santo. Il cuore le cadì fino ai pedi e po' riacchianò fino alla gola, facendole ammancare l'aria. Possibile che il santo era vestito come il monaco, era nìvuro di pelle come il monaco, la faccia era 'na stampa e 'na figura con quella del monaco, sulo che era vecchio e aveva la barba più longa e tutta bianca? E fu veramente per la vertigine che la pigliò che, un attimo prima di cadere in terra svenuta, le parse che la statua aveva alzato l'occhi a taliarla?

S'addecise a contare ogni cosa alla Signura. Ma quella si mise a ridere.

«Ma tu a san Calò l'hai visto appena sei arrivata qua!»

«E dove?»

«Nella mia camera, vieni che te lo faccio vidiri.»

Era vero. Una statuina di cartapesta del santo stava supra il comodino della Signura. Doveva certamente averla notata senza però farci attenzione e po', tra la febbre, l'insonnia, i mali pinseri, gli era comparsa in mente e allora si era inventata tutta la faccenda del monaco che l'andava a trovare di notte.

Venne l'ultimo jorno della quindicina. Nadia raprì la valigia per metterci i vestiti e vide la littra di Filippo che aveva conservata lì dentro. Quando la pigliò, le parse pesante assà e pensò che forse ci aveva messo dintra qualichi cosa senza farci caso. La raprì, ci infilò la mano e quello che sentì sutta alle dita la paralizzò. Po', a lentu a lentu, cavò fora dalla busta dieci biglietti da mille, sette da cento e uno da cinquanta. Il denaro che le abbisognava, preciso preciso. Si toccò la fronte, non era càvuda, non aveva la febbre.

"Ora mi sveglio e m'accorgo che non è vero niente." E si dette una gran timpulata in faccia.

Provò dolore, ma non s'arrisbigliò. E perciò era tutto vero. Il denaro che le abbisognava per suo fratello era là, supra il letto. Quello che abbastava, contato. Ma com'era possibile? E po' capì. Tremando, raprì la porta, parlò che non le veniva il fiato:

«Signora Flora, per favore, venga subito.»

La Signura, a sentire la voce stravolta della picciotta, si precipitò.

«Entri e chiuda la porta. Guardi sul letto. Che vede?»

«Tanti soldi.»

E allura chiangendo, ridendo, 'nciampicando supra a qualichi parola, mangiandosene qualichi altra, Nadia abbrazzò la Signura:

«Mi ha fatto il miracolo! Ha visto che avevo ragione? Ha visto che è venuto a trovarmi due volte per mettermi alla prova? Voleva vedere se io il voto lo mantenevo veramente!»

La Signura era accussì emozionata che non arrinisciva a parlare.

«Adesso che devo fare?» spiò alla fine Nadia.

La Signura ci pinsò tanticchia.

«Che vuoi fare? Nenti. Pigli i denari e li spedisci a tò frati. Però ora nesci, vai in chiesa e addrumi una candela a san Calò. Una sula, a lui ci abbasta e superchia. Ah, una cosa. Di 'sta facenna, non dire nenti a nisciuno. Mi raccomando. Possiamo contare alla gente che di notte san Calò sinni va a casino a trovare una buttana?»

Appena accomenzò a parlare all'età che i picciliddri accomenzano a parlare, suo patre e sua matre, il nonno e la nonna, gli zii, insomma tutti di famiglia si resero conto che Domenico Piolo, detto Minicuzzo, era checco, vale a dire che 'nciampicava supra alle parole. Un tormento per lui e per quelli che lo dovevano ascutare.

Alla scola limentare ebbe inizio la sconcica dei cumpagnuzzi. La maestra:

«Tu come ti chiami?»

«Do... Do... Do...»

«... re mi fa sol la si» diceva in coro la classe.

E quando principiava ad attaccare col cognome:

«Pio... Pio... Pio...»

«Chicchirichì! Coccodè!» faceva la classe.

Siccome che imparò presto a leggere e a scrivere, girava sempre con fogli di carta supra i quali scriveva invece di parlare. Si pigliò il diploma di ragioniere e s'impiegò al municipio. A quarantacinco anni si maritò con una fimmina che aveva cinco anni meno di lui, ma che fino a quel momento era campata nella casa del patre e della matre, niscenno sulo per andare in chiesa. Doppo sei mesi di matrimonio, Minicuzzo capì che Luisina, la mogliere, quella cosa gliela avrebbe permessa solamenti una volta al mese, allo scuro completo, con la cammisa di notte isata quanto abbastava. E mentre lui faceva, Luisina a voce vascia recitava giaculatorie e patrinostri.

«Ma pi... pi... pi... pirchì pre... pre... pre... preghi?»

«Per non cadiri nel piccato di la carni.»

Al settimo mese, Minicuzzo Piolo s'appresentò alla Pensione Eva, che aviva frequentato prima del matrimonio ma che ora pigliò a praticare regolarmente a ogni sabato sera.

«Ma indovi vai?» gli spiò Luisina doppo un'annata e passa che il marito nisciva di sabato.

Era piuttosto lenta a pigliare cuscenzia di quello che capitava torno torno a lei, pareva sempre tanticchia 'ntronata.

"Vado a jocare a scopa con lo zù Tano" scrisse supra la carta Minicuzzo.

Era in parte vero. Minicuzzo si faceva una partita di prescia e doppo via di corsa alla Pensione. Ma passati dù anni capitò che lo zù Tano morse.

«Pirchì nesci lo stisso se 'u zù Tanu, bonarma, non c'è più?»

Bih, che camurrìa! Minicuzzu, che aveva la specialità di dire mezza verità e mezza farfantarìa, scrisse:

"Vado alla Pensione Eva."

Tanto, che ne sapeva Luisina della Pensione? Non le poteva manco passare per l'anticàmmara del ciriveddro che era un casino. E lo sapeva, Luisina, che cos'era un casino? E infatti Luisina, che non lo sapeva, gli spiò:

«Ah, sì? E chi ci vai a fare?»

"Ogni sabato c'è un medico bravo che mi cura. Forse ci arrinesci a farmi guarire dalla chicchiata" scrisse Minicuzzo.

Po', un venerdì, parlando in sagristia col parrino che andava a trovare un jorno sì e uno no, capitò che Luisina gli contò che suo marito si stava curando per non chicchiare più.

«Ah, bravo, e chi lo cura?»

«Un dutturi che abita alla Pensione Eva.»

«Indove abita?!»

«Alla Pensione Eva, accussì mi disse Minicuzzo.»

Di subito, il parrino parse pigliato dal diavolo. Si mise a fare voci, a dire che Minicuzzo era pirsona fitusa e indegna.

«Ma pirchì?»

E il parrino le spiegò che cosa era la Pensione Eva, che fìmmine ci stavano e che ci andavano a fare l'òmini. Luisina non fece niente, non chiangì, non si disperò. Tornò a la casa frisca come un quarto di pollo, preparò da mangiare come al solito, s'addormentò come al solito. Quando alle otto e mezza di sera del jorno appresso Minicuzzo stava niscenno, Luisina volle sincerarsi:

«Vai alla Pensione?»

«Sì.»

In matinata, parlando con la criata, Luisina era riuscita a sapere indove era allocata la casa. Si vestì, e dintra alla borsetta infilò un peso di ferro di dù chili che pigliò dalla statera. Niscì, caminò senza prescia, arrivò davanti al portone della Pensione e ci trasì, risoluta. E proprio per combinazione, nell'anticàmmara incrociò suo marito che stava niscenno con una bella faccia soddisfatta. L'omo, appena che la vide, cangiò di colpo espressione e s'immobilizzò. Con calma, Luisina isò la borsetta, la fece roteare, la cafuddrò in testa a Minicuzzo. Poi se ne andò, senza dire una parola. Minicuzzo, tenendosi la testa dalla quale zampillava il sangue a fontanella, ritrasì barcollando nel salone della Pensione facendo voci come un porco scannato:

«La testa mi rumpì! Aiutu! Datemi aiutu, per carità! Aiutu! Mè mogliere la testa mi rumpì!»

E doppo non parlò più, non si lamentiò più. 'Ngiarmato, fulminato da quello che gli stava capitando. Aveva detto quelle parole tutte filate, senza chicchiare, senza 'nciampicare, senza 'ntuppare! La finta cura aveva fatto, per un verso o per l'altro, l'effetto desiderato. E da quel momento in po' Minicuzzo Piolo non chicchiò più.

Appresso ci fu la famosa calata dell'angelo. Tra le picciotte della quindicina che arrivò alla Pensione negli ultimi quindici jorni del millenovecentoquarantadù ce n'era macari una trentina, tanto d'età quanto di paisi, che di nome faceva Marianna Zunic, in arte Ambra.

S'appresentò con dù valigie, una grande e una nica. Appena trasuta nella sua càmmara di dormiri, raprì la valigia nica e ne tirò fora una gran quantità di santini assortiti, da san Luigi Gonzaga a sant'Ignazio di Loyola a sant'Alfonso de' Liguori a santa Teresa del Bambin Gesù a santa Genoveffa a san Rocco a santa Marta, tutti debitamente incorniciati e col portalumino, che impiccicò alle pareti, 'nzèmmula a un crocefisso di bona misura che sistemò sul comodino, a una decina di rosari e a dù bottiglie d'acqua benedetta. Quando la Signura Flora vide la càmmara accussì parata, si preoccupò e spiò alle altre picciotte se 'sta mania religiosa di Ambra si manifestava macari in presenza dei clienti.

«Ma quando mai, Signora! Sul lavoro, niente da dire.»

Fatti suoi, quindi, se prima di andarsi a corcare recitava agginucchiata allato al letto tutte le poste del rosario, fatti suoi se la matina, appena arrisbigliata, pregava minimo per una mezzorata, fatti suoi se purificava la parte che aveva commesso peccato con l'acqua delle bottiglie. Certo, se uno che non ne sapeva nenti trasiva di notte nella càmmara di Ambra sicuramente gli veniva un sintòmo, con tutti quei lumini addrumati che pareva priciso 'ntifico a un campusantu.

All'alba del quarto jorno che Ambra era arrivata, trasì nel porto e attraccò un U-Boot, un sommergibile tidisco che da otto mesi vedeva solamente acqua di mare. Nel doppopranzo, in libera uscita, tutto l'equipaggio approdò di corsa alla Pensione. I signori ufficiali no, non scesero a terra, loro dovevano dimostrare d'essere votati a una cosa sula: alla vittoria del Führer e del Terzo Reich. Ma al pinsero che a qualichi centinaro di metri c'erano sicuramente fimmine a disposizione di chi le voleva, l'Oberleutnant Ernst Grisar verso sera non ce la fece più e spiò al comandante un permesso di sbarco di un tri orate. Quello lo taliò con disprezzo e disse:

«Va bene. Ma non scenda in divisa, non si faccia riconoscere.»

L'Oberleutnant si mise un paro di cazuna borghesi, un maglione abbottonato davanti, un giacchettone del quale alzò bavero e risvolti a cummigliarsi la faccia, e in testa s'infilò una specie di colbacco con le falde abbassate. Pareva pronto a scendere supra la banchisa polare. Appena a terra, incontrò uno degli òmini dell'equipaggio che tornava a bordo e gli spiò informazioni. Quello gli spiegò la strata da fare, erano quattro passi. L'Oberleutnant, che era proprio allo stremo della resistenza, si mise a correre, trasì sparato dintra alla Pensione, agguantò la prima fìmmina che gli venne a tiro, vale a dire Ambra:

«Komm schon!»

Ambra non aveva ancora fatto a tempo a trasire dintra alla càmmara che quello si era già sbarazzato di scarpe, cazuna e mutande. La picciotta si levò la vistaglina.

«Schnell! Schnell!» disse l'Oberleutnant facendole 'nzinga di levarsi subito reggipetto e mutande.

Mentre Ambra obbediva, il tidisco si liberò del giaccone e del maglione.

«Kondom?» spiò Ambra che qualichi parola di tidisco, di quelle che riguardavano il suo mestiere, la spiccicava.

«Ja.»

Mentre il tidisco principiava a levarsi il colbacco annodato sutta al mento, Ambra si voltò verso il comodino, raprì la bustina e appena tornò a voltarsi verso l'omo... Ernst Grisar aveva da poco passato la trentina, era àvuto, aveva una gran cicatrice supra il costato per una ferita di guerra, teneva i capelli rossastri tanto longhi che gli cadevano supra le spalle, e, per bon piso, aveva una barbetta attorno al mento, naturalmente rossastra, che gli incorniciava la faccia. Nel momento nel quale Ambra lo taliò, il tidisco si stava stirando le braccia allungandole di lato. Ambra, in un attimo, diventata giarna come una morta, si fece convinta che il crocefisso che teneva supra al comodino nella sua càmmara si era fatto vero, di carne e ossa, ed era disceso a trovarla. Non c'era dubbio: era lui. Fece una vociata che arrivò macari nel salone e scantò tutti, po' s'agginucchiò e accomenzò a baciare i piedi del tidisco.

L'Oberleutnant, tanticchia strammato, l'afferrò per i capelli e tentò di farla isare, non gliene catafotteva niente d'avere i piedi baciati. Ma Ambra fece resistenza e quello si mise a fare voci in tidisco che pareva un pazzo addannato. Da sutta si precipitarono supra la Signura Flora, tri clienti affezionati e conosciuti e dù picciotte. Raprirono la porta e trasirono. Ambra era già caduta in estasi, il corpo teso teso, le labbra tirate che mostravano i denti, l'occhi voltati tanto narrè che si vedeva il bianco. L'Oberleutnant, bestemmiando in tidisco, agguantò vestiti e scarpe, afferrò a una delle dù picciotte, se la tirò appresso dintra a una càmmara libera, chiuse la porta e niscì dù ore doppo.

La sera, a tavola, ci fu una discussione supra il fatto tra le picciotte e la Signura Flora. E fu la Signura a pronunziare le parole d'assoluzione per Ambra, che non aveva voluto nesciri dalla sua càmmara e se ne stava rinchiusa a pregare.

«Certo» disse, «Ambra, che già ci è portata di natura sua, a vidirisi davanti quel tidisco che era proprio 'na stampa e 'na figura...»

Le cose andarono tranquille ancora per dù jorni. Po' venne la notte che supra il paisi passò per la prima volta un'ondata di Liberators miricani.

Venivano dal mare a vascia quota e la sula rumorata abbastava per fare crollare le mura delle case. Mai prima si era sentito un fracasso accussì terrorizzante. Di subito principiarono a sparare le batterie della contraerea e delle navi in porto. Per metterci il carico da undici, quattro o cinque aeroplani tidischi attaccarono alla dispirata la formazione miricana. Tutte le picciotte, e la stissa Signura Flora, se ne scapparono al rifugio.

Tutte, meno Ambra. Restata sula, pregava a voce altissima mentre la Pensione pareva nell'epicentro di un terremoto. Doppo tanticchia, ad Ambra le venne in testa che forse le sue preghiere il Signore le avrebbe ascutate meglio se le gridava da supra al terrazzo. Niscì dalla càmmara, acchianò la rampa, raprì la porticina e s'attrovò in mezzo ai cassoni dell'acqua. Non c'era luna, ma c'erano centinara e centinara di stiddre che s'addrumavano e s'astutavano in

135

continuazione e altre che parevano stiddre fi-
lanti, stiddre comete, e che erano gli scoppi in
aria dei proiettili, delle granate, dei traccianti.
S'inginocchiò, l'occhi isati al cielo. Po' il fascio
di luce farinosa di una fotoelettrica spazzò per
un attimo lo scuro, scomparse. E lei in quell'attimo lo vide. Anzi, lo svitti e lo svitti, all'angelo.
L'angelo che lentamente e silenziosamente calava verso terra, le grandi ali alte supra le sue
spalle. Il marconista miricano Angelo Colamo-
naci, nipote di emigranti, ma che oramà parlava
e capiva sulo la parlata degli Stati, se l'era vista
propio laida dintra al Liberator che precipitava
in fiamme, macari la sua divisa aveva pigliato
foco. Era arrinisciuto a levarsela, a mettersi il
paracadute, a gettarsi fora dall'aereo. E ora sinni calava a lento, non tirava un filo di vento,
sperando che non lo vedevano, che non gli sparavano a tirassegno.

Ambra teneva l'occhi sbarracati e tremava,
aspettando una seconda apparizione miracolo-
sa. E infatti il fascio di luce della fotoelettrica, di
colpo, scoprì nuovamente l'angelo nudo e passò
oltre. Doppo tanticchia, Ambra sentì un gran
fruscio e l'angelo arrivò supra il terrazzo, fece
una specie di cazzicatummulo, si susì addritta,
liberandosi di prescia delle grandi ali che arro-
tolò. Ma si fermò a mezzo: aveva intravisto
un'ùmmira agginucchiata. L'ùmmira, cammi-

nando supra le ginocchia, gli venne vicina. Era una fìmmina che gli spiò:

«Sei un angelo, vero?»

«Yes» disse Angelo, ancora troppo scioccato per meravigliarsi che quella fìmmina conosceva il suo nome.

Allora la fìmmina gli vasò la mano. Toccandole allo scuro la faccia, Angelo si rese conto che era bagnata, assuppata di lagrime.

La fece alzare e, a gesti, le spiò indove poteva ammucciare il paracadute.

"Se vuole nascondere le ali, vuol dire che non desidera far sapere che è un angelo" pensò Ambra, felice di spartire un segreto con lui.

Lo guidò verso un cassone che, essendo stato spirtusato da una scheggia, era vacante d'acqua e asciutto. Angelo sollevò il telone che lo cummigliava, pensando che là dintra poteva starci macari lui e non sulo il paracadute. Ora c'era silenzio, l'aeroplani erano passati, nisciuno sparava più. Po' si sentì la voce della Signura Flora che chiamava:

«Ambra, sei sul terrazzo?»

«Scendo» disse Ambra.

L'angelo di certo non voleva essere visto che da lei, pirchì appena aveva sentito la voce della Signura si era infilato dintra al cassone. Ambra sistemò meglio il telone e scinnì.

Il jorno doppo, a tavola, ad Ambra venne un

pinsero improvviso. L'angili mangiavano? Arrinisci a fare scomparire il pane che le spettava e tanticchia di formaggio. Quando fu notte, acchianò novamenti supra il terrazzo, andò vicino al cassone:

«Angelo!»

Il telone si sollevò e Angelo comparse. La vide e sorrise. Sorrise chiossà mentre si mangiava, in dù botte, il pane e il formaggio. Quello era un angelo che aveva una gran fame attrassata, si disse Ambra. E non sulo aveva fame, ma tremava per il freddo, nudo com'era. Talè che cosa stramma! L'angili erano tali e quali all'òmini! Visto che aveva questo gran freddo, Ambra decise di provvedere. Ma indove trovare vistiti mascolini? Fece 'nzinga all'angelo d'aspettare, scinnì la rampa, andò a tuppiare a lèggio alla porta della Signura Flora.

«Sono Ambra, Signora.»

«Trasi. Che c'è?» spiò la Signura addrumando la luci.

Si scantò. Pirchì Ambra aveva l'occhi di pazza, sgriddrati, e un gran sorriso di pazza che le spaccava la faccia.

«Signora, sul terrazzo è calato un angelo. Sta lì.»

Bonanotti. Quella era definitivamenti nisciuta di senso. Roba da manicomio. L'unica era tenerla calma fino all'indomani.

«Va bene. Domani, se c'è ancora...»

«No, Signora, sta morendo di freddo, bisogna far presto!»

Un angilu che muriva di freddo? La Signura venne pigliata da un dubbio.

«Andiamo.»

E fu la salvezza del miricano. La Signura lo vide, vide il paracadute, scinnì, tornò con dù coperti di lana, un cuscino, una grossa forma di pane, dù uova fresche da sucare, un pezzo di formaggio, un cartoccio d'aulive, una bottiglia d'acqua, una bottiglia di vino. Fece capire all'angelo di starsene tranquillo dintra al cassone, ci avrebbe pensato lei a risolvere tutto. A questo punto Ambra si mise a fare voci:

«L'angelo è mio!»

La Signura, con santa pacienza, la persuase che nisciuno le avrebbe toccato l'angelo. Che era suo. E che di notte poteva andarlo a trovare.

Po' la Signura parlò a chi sapeva lei. Dù jorni appresso dù muratori acchianarono supra il terrazzo per riparare il cassone rotto. Quando finirono il travaglio e scesero, erano addivintati tri. Quella notte stissa Ambra, che aveva intanto scoperto che l'angeli facevano l'amuri sì come l'òmini, ma meglio assai, in modo naturalmente angelico, trovò il cassone pieno d'acqua. Cercò supra il terrazzo, dintra all'altri cassoni, nenti, nisciuna traccia dell'angelo. In lagrime, andò ad arrisbigliare la Signura.

«Non lo trovo più! Che ho fatto di male?»

«Nenti facesti, Ambra. È andato via mentre tu travagliavi. Mi ha detto di diriti che lui ti vuole bene e che sarebbe rimasto con piaciri, ma l'hanno richiamato in paradiso, pare che per ora hanno chiffare assà. Ti ringrazia di tutto e ti regala questa per ricordo.»

Si calò e tirò fora da sutta al letto una piuma enorme di un raro uccello tutto bianco che le aveva portato dall'Africa, tanti e tanti anni prima, l'unico omo che aveva amato nella sua vita. L'aveva voluta sempre appresso, con lei, e ora, senza rimpianto, la porse alla picciotta.

cinque

Una stagione all'inferno

Un tempo, se ben ricordo, la mia vita era un fe-
stino in cui tutti i cuori s'aprivano, in cui tutti i
vini scorrevano.
Una sera, ho preso sulle ginocchia la Bellezza. –
E l'ho trovata amara.

ARTHUR RIMBAUD, *Une saison en enfer*

Verso i primi jorni del marzo millenovecentoqua-
rantatrì la guerra, con le incursioni dell'aeroplani, assugliò il paisi matina, doppopranzo e notti
come un cane arraggiato. La gente, per sbrigare
l'affari suoi, aveva sì e no una mezzorata di tempo tra un bombardamento e l'altro. Il fatto era
che ora alli 'nglisi ci si erano messi allato l'americani in forze. L'aeroplani miricani sganciavano le
bombe alla sanfasò, alla come viene viene, senza
stare a taliare e a scegliere gli obbiettivi, indove
cadevano cadevano, mentre al contrario l'aeroplani 'nglisi bombardavano sulo indove avevano
ragione di bombardare: il porto, le navi, la centrale elettrica, la stazione. Le bombe miricane di-
strussero mezzo paisi, fecero decine e decine di
morti 'nnuccenti, e scantarono tanto la gente che
le case vennero abbandonate, tutti si portaro dintra ai rifugi letti e linzola, dai rifugi nisciva solamente chi ne aveva necessità assoluta. Difficile
spostarsi da un paisi all'altro, corriere e treni era-

no di continuo mitragliati e bombardati. Po' dal continente non arrivarono più posta, giornali, medicine e ogni cosa bisognevole pirchì per lo Stretto di Messina le navi non arriniscivano a passare, l'aeroplani nemici erano tanti che parevano aceddri 'n cielo, non si perdevano manco una varcuzza.

E inevitabilmente 'sta situazione portò conseguenzia alla Pensione Eva. Non che ora c'erano meno clienti, anzi erano aumentati; la diversità era che non facevano più flanella, non stavano più a babbiare nel salone con le picciotte, trasivano, consumavano di prescia, pagavano, niscivano. Non si sentiva più la voce della Signura Flora che ogni tanto esortava:

«Ragazzi, in camera!»

La facenna era addivintata squasi una necessità, un bisogno di sentirsi ancora vivi, non un piaciri. La Signura Flora ne dette a Ciccio e a Nenè una spiegazione che ai dù amici parse perfetta:

«Con lo scanto della morte cresce la gana di ficcare.»

Ma la conseguenzia più importante fu che dal deci di marzo non addivintò più possibile il cangio della quindicina. A parte la difficoltosità degli spostamenti, per cui le quindicine arrivavano con dù o tri jorni di ritardo, tra gennaio e febbraio otto picciotte, tri a Messina e cinco a Palermo, ci lassarono la pelle mentre si spostavano per il cangio. Potevano i gestori dei casini perdere una merce accussì priziusa e oltretutto, dati i tempi, di complicato reperimento?

E fu accussì che le picciotte che al deci di marzo s'attrovavano in servizio nella Pensione Eva, da uccelli migratori che erano, addivintarono stanziali. La squatra fimminina restò composta da quelle picciotte che s'erano trovate in paisi al momento del fermo e cioè:

Angela Panicucci, in arte Vivì

Romilda Casagrande, in arte Siria

Francesca Rossi, in arte Carmen

Giovanna Spalletti, in arte Aida

Michela Fanelli, in arte Lulla

Imelda Vattoz, in arte Liuba.

A malgrado del pericolo d'essere mitragliato, Nenè ogni domenica matina (il sabato notte lo passava con Giovanna, la studentessa-professoressa) scinniva da Montelusa a Vigàta per stare con suo patre e con sua matre, ripigliava la corriera il lunedì all'alba, andava al liceo, ma alla sera ripigliava nuovamente la corriera e s'appresentava alla Pensione per la mangiata con Ciccio, Jacolino e le picciotte. Macari il carattere dei tri amici ebbe un cangiamento, lèggio, ma sempre cangiamento. Jacolino, prisempio, si fece chiesastro. Di colpo, dalla sera alla matina. Era addivintato squasi mutànghero, lui che prima

145

rapriva la vucca sulo per fare vento. La domenica non perdeva la prima messa, si confissava, si faceva la comunione.

«Jacolì, ma come fu?»

«Lassami perdere.»

«Ma allura, dato che sei addivintato praticante, non dovresti più andare alla Pensione Eva.»

«Ma io ci vado sulo per studiare!»

«Non è vero. Ogni lunedì stai a farti lo schiticchio con le picciotte.»

«E che male c'è a mangiarci 'nzèmmula?»

A Nenè gli pigliò quella che non passava sera che, andando a mangiare da Giovanna, appena trasuto dintra alla casa della picciotta, se la portava in càmmara di letto. Faceva una cosa che non durava manco deci minuti, di prescia, come se qualichiduno l'assicutava e po', subito doppo mangiato, la riportava in càmmara di letto.

E spisso e vulanteri si faceva l'ultima prima di raprire la porta e nesciri, addritta, e macari con l'impermeabile già mittuto.

A Ciccio invece gli era venuta la mania delle scommesse, le più stramme.

«Scummissa che mi mangio una triglia viva viva di una mezza chilata, ma senza lisca?»

Se la mangiò.

146

«Scummissa che acchiano le otto rampe di scale della mia casa a testa sutta e a pedi all'aria?»

Questa la perse, a metà della settima rampa le mano non lo ressero più.

E po' sinni niscì con una sfida strepitosa:

«Scummissa che faccio i miei bisogni, un jorno di duminica, sulla pubblica piazza, propio davanti alle colonne del municipio?»

«I bisogni completi?»

«Completi.»

«A mezza matinata?»

«A mezza matinata.»

Nenè e Jacolino accettarono. Manco a farlo apposta, la duminica che venne, mentre i tri amici si stavano pigliando una granita al Cafè Castiglione, che era in faccia al municipio, accomenzò a cadere una grannuliata di bombe.

«Annamo al rifugio, la cosa è seria» disse Jacolino.

«Fermi» fece Ciccio.

La terra principiò a traballiare, un fumo grigiastro arrivò dalla via darrè al Cafè, qualichi casa doveva essere stata colpita. Strata strata non c'era più anima criata. Un'altra bomba sfracillò un palazzo a una ventina di metri, ora ci si vedeva come dintra alla neglia, veniva di tossire, c'era pricolo d'assufficare.

«Picciò, jamuninni, ccà nn'ammazzano» fece agitato Jacolino.

Allora Ciccio s'avviò calmo calmo verso le colonne del municipio, si fermò, si calò cazuna e mutanne, s'acculò e, in un tirribìlio di bombe, mitragliate, schegge, pietre, mattoni, calcinacci, pezzi di mobili che volavano per l'aria, vinse la scommessa.

«Questa cacata la dedico alla guerra!» gridò, a tutti e a nisciuno, susennusi. E sonò come un grido non di sfida, ma di raggia, di disperazione.

Addivintò difficile trovare la robba di mangiare. I pescherecci e i rizzi viliari non niscivano tanto spissu per andare a pescare, c'era pricolo o di essere mitragliati o di sbattere supra a qualichi mina. Il pane che davano con la tessera era verdastro, muffoso, e se lo spezzavi, pigliavi la mollica, l'appallottolavi e la tiravi supra un muro, ci restava 'mpiccicata come se era colla. Oglio non se ne attrovava più, carne manco a parlarini. La mangiata alla Pensione Eva qualichi volta si fece con aulive, sarde salate e cacio tumazzo per accompagnare le dù grosse scanate di pane bono che Jacolino misteriosamenti riusciva a procurarsi. Quello che non mancava mai era il vino.

E le picciotte finirono con l'accasarsi con uno o più òmini. Perché alcuni clienti fissi, quando venivano, sceglievano sempre la stissa picciotta. Prisempio Michele Testagrossa, un cinquantino che di mestiere era falegname, s'appresentava il

148

martedì e il sabato, si pigliava a Carmen e consumava per mezzora. Lo stisso faceva Nicola Parrinello, il mercoledì e il venerdì, con Liuba. La quale Liuba però aveva macari a don Stefano Milocca che arrivava con una valigetta da Montelusa, trattava con la Signura Flora il *prezzo a convenirsi*, s'inserrava in càmmara con la picciotta e nisciva all'ora di chiusura.

«Ma spiegami una cosa, Liuba. Questo don Stefano ha già passato la sessantina, non mi dirai che se ne sta tutto questo tempo con te a...»

Alla domanda di Nenè, Liuba si mise a rìdiri.

«Ma quando mai! Non ci pensa neppure!»

«No?! E che fa?»

«Guarda: appena ci mettiamo nudi, lui apre la valigetta. Dentro ci tiene un abito da suora e uno da prete. Li indossiamo e lui si confessa.»

«Come, *si* confessa? *Ti* confessa.»

«Macché. È lui che si veste da suora e si confessa. E sapessi che fantasia che ha! Parla per ore, mi racconta che il diavolo lo va a trovare di tanto in tanto, glielo mette ripetutamente dietro e poi pretende di fare cose incredibili, oppure che la madre badessa ci ha provato e lui non ha saputo dirle di no, cose così insomma, ma con particolari che certe volte mi fanno restare a bocca aperta.»

I veri e propri accasamenti però furono dù.

Il baronello Giannetto Nicotra di Monserrato all'epoca aveva una quarantina d'anni. Soldi ne teneva quanti ne voleva, terre, case e possedimenti a Palermo e a Vigàta che glieli aveva portati in dote la mogliere Agatina, d'una laidizza da fare spavento, figlia di un commerciante riccu sfunnatu che aveva voluto accattare il titolo a sua figlia. Il baronello si era venduto datosi che, fimminaro com'era, aveva sempre un gran bisogno di denaro. Non era partito per la guerra pirchì zuppichiava tanticchia in seguito a una caduta da cavallo quando aveva quindici anni. Venuto a Vigàta per occuparsi della vendita di un terreno, doppo tri jorni senza fimmina era andato alla Pensione Eva, ricevuto subito in uno dei dù salottini privati.

E aviva incontrato a Siria. L'indomani si era presentato nuovamente. Da quel momento in po' a Siria non l'aveva lassata più. Arrivava con la sua machina sportiva, una delle poche che ancora firriavano pirchì a lui la benzina non ci ammancava mai. Le prime volte pagò la mezzora, doppo macari lui passò al *prezzo da convenirsi*.

E Siria, che prima era una picciotta allegra e scialacore, ora si fece silenziosa e distratta, come se stava sempre a seguire un pinsero suo.

«Siria, ma per caso ti sei innamorata del baronello?»

«Vuoi cambiare discorso, Nenè?»

«E lui è innamorato di te?»

«Ti ho detto di cambiare discorso.»

Nella notte tra il tri e il quattro di giugno ci fu un bombardamento pejo dell'altri. Macari la casa di campagna indove abitava il baronello venne distrutta, la bomba che la colpì doveva essere grossa assà pirchì della costruzione restò solamente una muntagnuzza di pruvulazzu e qualichi pezzo di ligno che era stato il mobilio. La squatra di soccorso, scava ca ti scava, trovò una mano ancora con l'anello nobiliare a un dito, un pedi e una qualichi cosa che doveva essere stata una testa d'omo. Tutto quello che restava del baronello Giannetto Nicotra di Monserrato. Della machina sportiva non si trovò traccia, forse qualichiduno se l'era portata via prima che arrivava la squatra. Il cognato del baronello s'appriciptò a Vigàta e ci stette il tempo necessario a pigliarsi i resti per portarseli a Palermu per il funerale.

Alla notizia di quella morte, Siria prima svenne e po' si mise a fare comu 'na maria, tanto che dovette venire il medico e farle una gnizione calmante. Dalla Signura Flora ebbe il primisso di non travagliare per dù jorni, che erano un sabatu e una domenica, e sinni stette rinchiusa nella sua càmmara a chiàngiri. Il lunedì matina apparse più calma e, passata la visita medica, disse alla Signura che voleva andare a vedere indove era morto il baronello e che sarebbe tornata a tempo per mettersi a tavola con le compagne. La Signura la sconsigliò, ma quella si era 'ncaponuta. Salutò e niscì. Non vedendola tornare quando si era fatta l'ora di mangiare, la Signura si preoccupò e disse a Jacolino di andare a vedere se Siria stava ancora a chiàngiri davanti alla casa distrutta del poviro Giannetto Nicotra. Jacolino andò e tornò dicendo che non l'aveva vista. La Signura aspettò fino a che si fecero le sette di sera, po' si decise d'andare dai carrabbineri a fare la denunzia.

La mangiata di quella sera con Ciccio, Nenè e Jacolino fu una specie di consòlo doppo un funerale. Nisciuno aveva gana di ridere o di sgherzare, il pinsero di tutti era per la scomparsa di Siria.

«Speriamo che non abbia fatto qualche sciocchezza» disse Carmen, inteppretando l'idea che macari l'altri avevano, ma non volevano dire a parole.

Di Siria non si ebbero più notizie. Non venne trovata né morta né viva. Nella sua càmmara restarono le sue cose, tranne quello che d'abitudine si portava appresso nella borsetta, qualichi lira, la carta d'identità, dù fotografie, una del patre e una della matre, un fazzoletto. La Signura Flora si premurò di scrivere alla famiglia per informarla, ma non ebbe risposta, forse la littra non arrivò mai.

La secunna storia d'amuri fu quella di Giugiù Firruzza e di Lulla. Giugiù era di bona famiglia, serio, educato, studiusu, faceva il terzo anno di Medicina a Palermo. Suo patre, don Antonio, che aveva giuste conoscenze, l'aveva fatto riformare alla visita di leva indove un medico appattato gli attrovò il core malannato assà. Invece Giugiù, almeno fino al momento che incontrò a Lulla, il core l'aveva sanissimo. Era stato fatto zito – e lui, figlio d'oro, aveva obbedito alla volontà paterna e materna – con una lontana cugina, una picciotteddra devota, tanticchia grossa e con l'occhiali, che andava ogni jorno in chiesa. Ninetta, accussì faceva di nome la promessa mogliere, doppo dù anni di zitaggio gli aveva primisso di vasarla non supra le labbra, ma allato. E po' era corsa in chiesa a confessarsi. E questa era stata la prima e l'ultima volta che la vucca del picciotto aveva toccato la pelle della zita. Perciò fu proprio per necessità di natura che Giugiù Firruzza, teni e teni fino a che non la tenne più, una sera di metà aprile s'arrisolvette a trasire, vrigognoso, dintra al portone della Pensione Eva. E gli capitò di andare con Lulla, non per scelta, ma pirchì in quel momento era l'unica picciotta libera. E lui voleva fare una cosa di prescia, tanto, per quello che gli abbisognava, una fìmmina valèva l'altra. Appena trasùto in càmmara, Giugiù avvertì il sciàuro. Era un profumo forte, penetrante e particolare, un'essenza che sapeva soprattutto di mentuccia, di cannella e di chiodi di garofano. Era propio bono, allargava i polmoni, macari se forse era troppu denso, pareva che si 'mpiccicava alla pelle. E difatti Giugiù, appena finì con la picciotta, capì che quel sciàuro sarebbe stato difficile levarselo: gli si era come stingiuto supra le mano, supra il petto, supra la panza, supra tutta la parte vascia.

«Dove lo compri questo profumo?»

«Non lo compro, lo faccio da me.»

«Di che è fatto?»

«Sono erbe essiccate, me le diede due anni fa un tale e m'insegnò anche il modo di ricavarne un profumo. Fortunatamente un cliente il mese scorso mi ha regalato una bottiglia di alcool. Mi era finito ed è difficilissimo trovarne, di questi tempi. Scendiamo?»

«No.»

Pirchì gli era scappato quel *no*? Ma se era invitato a mangiare in casa della zita! Avrebbe fatto sicuramente tardi.

E fece tardi assà, macari perché dovette prima passare da casa e infilarsi nella vasca da bagno per far scomparire il profumo di Lulla. Ma mentre andava nella casa della zita, si sciaurò la mano: sutta all'oduri del sapone, ancora s'avvertiva forte il profumo della picciotta.

Il jorno appresso tornò da Lulla, e il jorno appresso ancora. Lulla resistette per una simanata, po' confessò a Giugiù che le accomenzava a pesare il fatto di dover andare con altri òmini. E accussì Giugiù pigliò ad appresentarsi appena che la Pensione rapriva ed era sempre il primo cliente di Lulla.

Incignando con Giugiù l'apertura del travaglio jornalero, a Lulla le pareva meno gravoso tutto il resto. Passata la mezzora, Giugiù, invece di irisinni, restava nel salone. Appena un cliente sceglieva a Lulla, i dù 'nnamurati si taliavano nell'occhi e Giugiù le faciva una 'nzinga d'incoraggiamento. Ma lo stesso Lulla acchianava la scala col cliente come se acchianava al monte calvario.

Una sera trasirono tri forasteri e si vide subito che erano non sulo 'mbriachi, ma che avevano macari gana d'attaccare turilla, di sciarriarsi. A una picciotta dissero che aveva le gambe torte, a un'altra che aveva l'occhi uno a Cristo e l'altro a san Giovanni, a Lulla, il più stacciuto, infilandole il naso in mezzo alle minne e sciaurannole, disse che fetevano, parevano un cannolo di ricotta rangiduta.

Giugiù scattò dal divano, s'avvicinò allo stacciuto e gli dette un gran cazzotto in faccia, scugnandogli il naso. Mentre quello si tamponava il sangue con un fazzoletto biastimiando, l'altri dù si gettarono supra a Giugiù, in difesa del quale intervennero tri clienti. Finì a sciarra generale: le picciotte, scantate, scapparono dal salone supra la scala e da lì facevano voci che parevano ciàvole, il cavaleri Lardera, addritta supra il divano, col bastone isato in aria, gridava:

«Finitela! Chisto non è un burdellu da fare burdellu!»

La Signura Flora dovette mandare a chiamare i carrabbineri. I quali si portarono in caserma a Giugiù e ai tri forasteri. Giugiù venne rilasciato dù ore appresso, doppo che il maresciallo gli aveva fatto un liscebusso. La cosa però, in paisi, si venne a sapere e gira ca ti gira arrivò all'oricchi del commendatore Gaetano Mongitore, il patre della zita di Giugiù. Il commendatore, omo di severissimi principi morali, chiamato a Giugiù dintra al suo studio di notaro, gli comunicò che lo zitaggio da quel momento era da considerarsi definitivamenti rotto, che mai e po' mai lui avrebbe dato sua figlia a un picciotto corrotto, frequentatore abituale di case di malaffare e al novanta per cento già 'mpistato da qualichi malatia venerea.

«A sua figlia se la può tenere, il fidanzamento l'avrei rotto io nei prossimi giorni, sono innamorato di un'altra» gli arrispunnì Giugiù susennusi e niscenno dalla càmmara.

Per picca al notaro Mongitore non ci pigliò il sintòmo a quella risposta. Allura, appena nisciuto Giugiù, mandò a chiamare al cavaleri Antonio

156

Firruzza che in quanto a principi morali, decoro e dignità era 'na gran camurrìa d'omo, forse pejo del commendatore.

«So di darti con le mie parole un grande dispiacere, carissimo cugino» attaccò Mongitore, che invece, passata la raggia, ora se la stava scialando, si stava godendo una punta d'arricrìo perché il cavaleri Firruzza gli era da sempre 'ntipatico.

E gli contò tutta la facenna. Il praticante del notaro dovette portare un bicchiere d'acqua al cavaleri che stava svenendo. Ma come?! Suo figlio Giugiù che era un angilo scinnuto 'n terra, pigliarsi a botte in un casino? Che gli era capitato, a quel poviro picciotto? L'avevano affatato, gli avevano fatto una magarìa? Furono le parole che appresso disse Mongitore a fargli nascire un sospetto.

«Mi ha detto che è innamorato di un'altra. Non vorrei che avesse perso la testa per una di quelle donnacce.»

La sera stissa al cavaleri Firruzza gli venne la febbre a quaranta. A sua mogliere, che gli stava cangiando le pezze fredde in testa, vedendo che quello smaniava e non le voleva, le venne da dire:

«Lassa fare a 'na mano di fìmmina.»

Parse che il cavaleri aviva attrovato uno scorsuni dintra al letto. Dette un ammuttuni alla moglie-

re, si levò le pezze e, susennusi addritta in cammisa da notte, si mise a fare voci come un pazzo.

«Fora subito da qua, tu e li tò mallitte mano di
fìmmina!»

Il jorno doppo, a mente frisca, il cavaleri andò
a trovare in segreto a don Stefano Jacolino, il gestore della Pensione.

«Don Stefano, voi sapete se c'è una certa storia tra mio figlio Giugiù e una fìmmina che sta
nella Pensione?»

«Nenti saccio.»

Invece sapeva tutto, la Signura Flora lo teneva
sempri informato di quello che capitava. Il cavaleri dovette contargli, sudando, la faccenda. E alla fine don Stefano disse sulamente:

«Mi 'nformo.»

«Vi ringrazio. E vorrei darvi una preghiera.»

«Se posso, a disposizione.»

«Se la cosa è vera, vi pregherei d'allontanare
'sta fìmmina.»

Don Stefano lo taliò chiudendo l'occhi a fes-
sura.

«Alluntanare in che senso?»

«Mandarla luntanu da qua.»

«E indove? Le quindicine non si fanno più.
Non la posso scangiare con un'altra picciotta.»

«Se non la potete scangiare, viene a dire che
l'allicinziate.»

Don Stefano si misi a rìdiri.

«E pirchì mi devo privare di un guadagno? Per la vostra bella facci? E po' mi volete spiegare che ragioni dico alla picciotta per allicenziarla?»

«Le dite che ha fatto innamorare a mio figlio!»

«Cavaleri, mi permettete di parlare latino? Se vostro figlio è strunzo, pirchì dobbiamo dare la colpa alla picciotta?»

Dispirato, fora di la grazia di Diu, il cavaleri era andato a parlare col maresciallo dei carrabbineri.

«E che volete da me, cavaliere?»

«Voglio addenunziare 'sta fìmmina, mandarla in galera!»

«Ma non potete!»

«E pirchì?»

«Perché questa donna fa quello che è autorizzata a fare.»

«Allura proibite a mio figlio di andarla a trovare.»

«Ma nemmeno questo posso! Vostro figlio è maggiorenne!»

Allura al cavaleri gli era pigliata una botta di follia. Viola in faccia, tutto che tremava, si era suto e aveva puntato un dito contro il maresciallo:

«Ho capito! Tutto capii! Appattati siete! Ruffiani e carrabbineri, tutti appattati per la mia ruvina!»

Il maresciallo, che era una brava pirsona che non stava a badare alle parole, aveva fatto finta di non avere sintuto. Era riuscito a calmare il cavaleri facendogli la promissa che avrebbe parlato con Giugiù, ma accussì, in amicizia, nenti d'ufficiale. E infatti, incontratolo strata strata, lo chiamò, se lo pigliò sutta a 'u vrazzo, lo fece trasire dintra a un portone.

«Ma tu, figlio mio, a tuo padre lo vuoi vedere morto?»

E a quella dimanna del maresciallo, Giugiù si era messo di subito a chiàngiri alla dispirata.

«No, no! Ma non ci posso fare nenti, marescià! È più forte di mia! Io di Lulla non posso più fare a meno! È 'na bona picciotta, marescià! È brava e bona!»

E chi lo diciva che le buttane erano tutte mali fìmmine? Al maresciallo gli tornò a mente di quella volta che una buttana si era gettata a mare per salvare un picciliddro che stava annegando e quell'altra volta che le buttane d'un casino avevano fatto una colletta per un povirazzo che moriva di fame e quell'altra volta che...

Allura spiò a voce vascia:

«E lei... ti vuole bene?»

«Sì, assà.»

«Auguri» disse il maresciallo concludendo l'incontro.

Quando Giugiù andò in banca per ritirare tanticchia di soldi, il casceri gli disse come e qualmenti quel mese il cavaleri non sulo non aviva versato il dinaro che ogni tri misi metteva nel

suo conto, ma aveva avvertito che non ci sarebbero stati più versamenti. Quindi Giugiù si venne a trovare di colpo senza un centesimo. Il primo pinsero fu:

"E come faccio a pagare la marchetta?"

Si rivolse al suo amico Tano Gullotta che gli
dette cincocento lire per tirare avanti. Ma la
mancanza di denaro cangiò in pejo la situazione.
Pirchì Giugiù accomenzò a provare, oltre che ge-
losia, macari invidia per i clienti che si potevano
pagare tutte le marchette che volevano con Lulla, mentre lui poteva permettersene sulamenti
una al jorno, se voleva far durare il dinaro di Tano Gullotta che oltretutto gli serviva per mangiare, dato che suo patre non l'aveva più voluto
ricevere in casa. Allura, assittato supra al divano
del salone, la varba longa, i capelli all'aria, l'occhi sgriddrati, taliava tanto malamente i clienti
di Lulla che qualichiduno s'abbuttò e andò a
protestare con la Signura Flora.

«Quello fa passari la gana a tutti!»

La Signura Flora riferì a don Stefano Jacolino.
Il quale una sira s'appresentò alla Pensione e si
portò fora a Giugiù, a fare dù passi.

«Tu, da dumani in po', se vuoi venire a farti la
mezzora con Lulla, vieni. Patronissimo. Ma non
sei patrone, doppo, di restare dintra manco un
minuto di più. Quando hai finito, tinni nesci e
tinni torni a la casa, tinni vai al Cafè, tinni vai a

rasparti le corna indove vuoi tu, ma dintra alla Pensione non ci resti. Sono stato chiaro?»

«Chiarissimo. Ma se io voglio restare?»

«Fatti tò.»

L'indomani Giugiù restò fino alla chiusura. Nisciuno gli disse nenti. Ma quando niscì fora che era mezzannotti, dù pirsone gli si misiro allato, l'agguantarono, gli dettero 'na fracchiata di legnate. Giugiù tornò a la casa con tutti l'ossa scassate, si corcò ma non arrinscì a pigliare sonno, non tanto per i dolori, quanto pirchì, nel càvudo del letto, la sua pelle faceva evaporare il sciàuru di Lulla e lui si sentiva morire a non averla allato. Macari il jorno appresso dovette restarsene corcato, non arrinisciva a susìrisi. Ma durante tutto questo tempo considerò a longo la sua situazione. E gli venne di fare una certa pinsata che forse avrebbe arrisolvuto tutto.

«Che t'è successo?» gli spiò don Stefano Jacolino con un sorriseddro appena che se lo vide comparire davanti con l'occhi ancora abbuttati dai cazzotti.

«Cadii dalle scale.»

«Che vuoi?»

«Ci vengo a fare una proposta.»

«Tu a mia? E va bene, sintemu.»

«Don Stefano, mettiamo che io vengo qua e le dico: voglio a Lulla sulo esclusivamente per mia. Quanto mi viene a costare?»

162

«Spiegati megliu.»

«Don Stefano, quante ore di travaglio fa una picciotta alla Pensione? Sei ore, giusto? Dalle sei di doppopranzo a mezzanotte. Se la voglio sulo per mia, quanto mi veni a costare?»

«E pirchì lo spii a mia? Spialo alla Signura Flora. Nel tariffario c'è scritto che oltre la mezzora ci si mette d'accordo supra 'u prezzu. Parla con lei. Le dici che vuoi a Lulla per una jornata sana e vedi quanto...»

«Ma io a Lulla non la voglio per una jornata sula, la voglio intanto per un mese intero.»

Don Stefano allucchì.

«E indove li pigli i soldi? Lo sai quanto rende una picciotta come Lulla a ogni misi? Ne hai idea?»

«Nonsi, è lei che me lo deve dire. Si fa il conto e mi dice quanto mi viene a costare. Tanto, che io addiventi l'unico cliente di Lulla a lei non ci fa né càvudo né friddo, è vero?»

«Vero è. Ma patti chiari: pagamento anticipato di tutto lu misi. E se i denari sono di meno, quando finiscino Lulla torna subito a travagliare con l'altri clienti. D'accordo? Ti faccio sapere la cifra.»

La cifra gliela comunicò la Signura Flora.

«Don Stefano dice che per un misi ti viene a costare semilaquattrocento lire. Anzi, verrebbe semilaquattrocentosidici lire, ma ti fa lo sconto pirchì gli stai simpatico. Che gli devo dire?»

«Che tra dù o massimo tri jorni gli porto i dinari.»

Questo capitò il ventiquattro del mese di majo.

Ciccio e Nenè, per dù lunedì di seguito, non si erano appresentati alla Pensione. Non avevano tempo di perdere, studiavano. Avevano saputo che non ci sarebbe stato l'esame di maturità della terza liceo, sarebbero stati promossi o bocciati a scrutinio.

L'esami non si potevano fare pirchì l'americani e li 'nglisi stavano occupando Pantelleria, i botti delle cannonate lontane arrivavano certe matine in classe, per un minuto la lezione s'interrompeva, tutti restavano ad ascutare in silenzio quei rombi cupi che erano come i passi dei soldati miricani e 'nglisi che s'avvicinavano sempre di più.

Jorno ventisette, alle dieci del matino, supra a Vigàta arrivarono una decina d'aeroplani e fecero un bombardamento da livari 'u pilu.

Don Filippo Tarella, casceri capo del Banco Siculo, restò al suo posto mentre il direttore e l'altri impiegati sinni scappavano al rifugio. E doppo manco cinco minuti la porta della Banca si raprì e comparse uno, 'nfaccialato con un fazzoletto rosso e con un revòrbaro in mano.

«Solo tu ci ammancavi!» disse don Filippo che era nirbuso per via delle bombe che facivano traballiare il pavimento. «Che vuoi? La casciaforte è chiusa e il direttore si portò le chiavi.»

«Dammi tutto quello che hai sottomano» disse l'omo.

Don Filippo ci pinsò un momento.

«Sottomano ci ho semilasettecentocinquanta lire. T'abbastano?»

«M'abbastano.»

Il casceri pigliò il dinaro e glielo pruì.

«Grazie» disse l'omo.

«A disposizione» disse il casceri.

L'omo si pigliò i dinari e niscì.

Quel doppopranzo stisso don Filippo il casceri andò a trovare al cavaleri Firruzza.

«Lo sapi, cavaleri? Stamatina hanno rapinato la mia banca. Trasì uno armato di revòrbaro, mi minazzò e si pigliò tutto quello che avevo: seimilasettecentocinquanta lire.»

«Mi dispiace. Ma pirchì lei lo viene a contare a mia?»

«Pirchì l'omo che mi rapinò era suo figlio Giugiù.»

«Ma che dice? Ma come può pensare che mio figlio...»

«Cavaleri, la mano supra 'u focu. A suo figlio io l'acconosciu da quando è nasciuto, saccio comu camina, comu parla.»

«Aspetti un momentu» disse 'u cavaleri, pigliato da un subitaneo pinsero. Si susì, andò di corsa nella sua càmmara di letto, raprì il cascione dell'armuar. Il revòrbaro che da anni teneva dintra a una scatola di scarpe non c'era più. Tornò strascicando i pedi, crollò supra la seggia.

«Volete denunziarlo?» spiò a testa vascia.

«No» disse il casceri. «Se voi mi autorizzate a prelevare la stessa somma dal vostro deposito, io recupero la perdita e non dico nenti a nisciuno. Tanto, al momento della rapina, c'ero io sulo. E io sono una tomba.»

«Grazie» disse il cavaleri.

La faccenda della rapina, e di chi era stato, il casceri principiò a contarla già alla prima pirsona che incontrò niscenno dalla casa del cavaleri. Quel doppopranzo stisso, Giugiù consegnò i dinari a don Stefano che taliò il calinnario facendo un ràpito calcolo.

«Tu accomenzi da oggi?»

«Sì.»

«Allura, fino al vintisette di giugno Lulla è cosa tua. Però tu non puoi dormiri nella Pensione. Ci puoi stare dalle sei alla mezzannotti. E stai attento: in quelle ore la picciotta non te la devi portare fora dalla Pensione. Io ti consiglio di non portarla fora manco di lunedì, che è jorno di riposo. Meno vi fate vidiri e megliu è. E te l'arripeto: se mi dai un'altra misata al ventisette di giugno, Lulla continua a essere cosa tua, ma se non paghi la picciotta ripiglia il suo travaglio normale.»

Ai primi del mese di giugno, niscero i quatri. Nenè, Ciccio e Jacolino furono promossi e fecero una festa granni alla Pensione. Ci partecipò macari Lulla, ma senza Giugiù. Alla fine della mangiata, Nenè si mise a parlare con la picciotta.

«Non ti vedo allegra, Lulla. Mi pare che la soluzione che ha trovato Giugiù però funziona, no?»

«Certo che per ora funziona. Ma che succederà il ventotto di questo mese, se Giugiù non darà a don Stefano i soldi per un'altra mesata?»

«Ha problemi a darglieli?»

«Certo, non li ha.»

«Ma non può procurarseli come ha già fatto?»

«Dice che non ne ha più il coraggio. E io non me la sento di ricominciare come prima. Il solo pensiero di andare con un altro uomo mi fa vomitare.»

Oramà era addivintato impossibile continuare a stare in paisi, era lo stisso priciso 'ntifico che essere in prima linea. Ammancava la luci, ammancava l'acqua. La famiglia di Ciccio sfollò a Cammarata, ma Ciccio ottenne di restare a Vigàta almeno fino alla partenza di Nenè. Pirchì Nenè aviva arricivuto una cartolina rosa che lo chiamava alle armi in anticipo. Essendo che era in Marina, doveva presentarsi il primo di luglio a Ràghiti, un paisazzo sulla costa orientale dell'isola, al Comando Marina.

L'ultimo lunedì che Ciccio, Nenè e Jacolino poterono andare a mangiare alla Pensione cadde jorno ventisei. A doppopranzo tardo, che già principiava a scurare, Ciccio e Nenè andarono al molo ad accattare di contrabbando una cascia di pisci frisco, c'erano dù rizzi viliari che ancora niscivano a pescare rischiando la vita. Mentre aspettavano la trasuta in porto delle varche, videro arrivare a Lulla e a Giugiù. Restorono ammaravigliati. Era la prima volta che niscivano in pubblico 'nzimmula.

Lui era vistuto bono, pettinato, la varba fatta, aveva in mano una coffa di paglia di quelle che servivano per la spisa. Lulla macari lei era vistuta bene e si era accussì tanto profumata col suo profumo spiciali che tutta l'aria torno torno a lei sciaurava. Si tenevano manu cu manu, parevano che stavano andando a maritarsi.

«Dove andate?»

«Ci siamo stancati di stare chiusi dentro a una stanza. Andiamo a fare una passeggiata con una barca che Giugiù ha affittato.»

Ciccio taliò a Giugiù strammato.

«Ma sei nisciuto pazzo? Non lo sai che il mare è chino chino di navi miricane e 'nglisi? Quelli vi sparano e v'ammazzano!»

«Ma no!» disse Giugiù. «Mi tengo costa costa. Non c'è pricolo. Se cercano a Lulla, dite che domani doppopranzo la riporto alla Pensione. Tanto, fino a domani Lulla è mia.»

«Ma vuoi stare fora tutta la notte?» spiò Nenè.

«Certo. E macari domani matina. Mi portai il mangiare» arrispunnì Giugiù mostrando la coffa.

«Per mia siete pazzi» concluse Nenè.

Si salutarono abbrazzandosi e Lulla e Giugiù proseguirono fino a una varcuzza ormeggiata tanticchia più avanti. Ci acchianarono, isaro il vrazzo a salutare, Lulla s'assittò, Giugiù principiò a remare. Siccome che in quel momento arrivavano i dù rizzi viliari, Ciccio e Nenè li persero di vista. La mangiata non arriniscì tanto allegra. Una picciotta, Tania, che aviva saputo che suo fratello era morto in guerra, volle mangiare, col primisso della Signura Flora, assittata supra le ginocchia di Nenè che la civava. Ogni tanto le veniva di chiàngiri e gli affondava la faccia nel petto per non farsi vedere. E una volta spiò:

«Ti ha abbracciato Lulla?»

«Sì, qualche ora fa.»

«Hai addosso, fortissimo, il suo profumo.»

Si salutarono tra chianti e vasate vagnate di lagrime. Fora della Pensione Ciccio e Nenè s'abbrazzarono forti forti, senza rapriri vucca. Stettiro tanticchia accussì, po' si lassaro e ognuno pigliò la sò strata.

Nenè andò a Montelusa per passare l'ultima notte con Giovanna, la matina appresso tornò a

Vigàta per salutare a suo patre che restava per i suoi obblighi militari al porto, e sinni partì per un paisi indove erano sfollati la mamà con tutti i parenti paterni e materni. Po', alle sett'arbi dell'ultimo di giugno, pigliò il treno per Ràghiti. Pinsava d'arrivare doppo tri ore, invece arrivò alla matina appresso. Le bombe avevano danneggiato la linea ferrata e dovettero aspettare fermi in aperta campagna che la riparavano. S'appresentò al Comando Marina, mostrò la cartolina, lo mandarono da un maresciallo che scrisse il suo nome supra a un registro.

«Dove vado a prendere la divisa?»

Quello si misi a rìdiri.

«Divisa? Ca quali divisa? Ccà ammanca tutto! Non c'è un cazzo! Piglia questa, mettitela al braccio. Chista è la tò divisa!»

E gli pruì una fascia supra la quale ci stava scritto: CREM.

«E che significa?»

«Significa Corpo Reale Equipaggi Marittimi.»

«E come me l'attacco, la fascia?»

«Cu 'na spingula di nurrizza.»

«Eh?»

«Una spilla di sicurezza.»

«Me la dia.»

«Non ne abbiamo. Non abbiamo cchiù nenti, lo vuoi capiri o no? E ora vai al porto, al Comando operativo, presentati al tenente Cammarano.»

«M'imbarcano?»

«Unni minchia t'imbarcano, me lo spieghi? Non abbiamo navi ca possono pigliari 'u mari, tutte fora uso. Ci restano sulo l'occhi pi chiàngiri.»

Nenè s'infilò la fascia in sacchetta e niscì. Appena mise il piede fora, arrivarono l'aeroplani. Dovette correre dintra al primo rifugio che trovò. Non babbiavano quell'aeroplani, facevano pejo che a Vigàta.

Finalmente s'appresentò al Comando operativo che era allocato dintra a un enorme bunker, pareva un magazzino, al principio del porto. Il tenente di vascello Cammarano, mentre cercava 'na spingula di nurrizza, gli spiegò che il compito della squadra alla quale era stato assegnato consisteva nello spalare le macerie e ricuperare catàferi o pezzi di catàferi. Trovata la spingula, gli attaccò lui stesso la fascia al vrazzo mancino della cammisa a maniche corte. Nenè gli spiò indove poteva lassare la valigetta con tanticchia di biancheria che s'era portata appresso.

«Letto venticinque in basso» disse il tenente.

Il dormitorio era dintra allo stesso bunker, letti a castello a dù posti. Allato a ogni letto c'era una cascia di legno senza coperchio.

«Deposita qui dentro la tua roba e scrivi il tuo nome nell'apposito cartellino.»

Per tutta la nottata dintra al bunker arrivò la rumorata sorda delle bombe. Niscero all'alba, già alle cinque di matina faceva un càvudo che si sudava. Si dovevano mettere a travagliare, con le pale che avevano pigliato all'uscita del bunker, in una strata con squasi tutte le case sdirrupate. Nenè restò indeciso. Da indove doveva principiare?

«Tu, marinaro, veni ccà!»

Lo chiamava uno in borgisi, che sulla manica della cammisa aveva i gradi di sottocapo.

«Vattìni a scavari lì» disse mostrandogli 'na muntagna di macerie a metà strata. «Quello era un casino di lusso.»

«Pensa ca sutta ci sia qualichi morto?» spiò Nenè.

Sentiva che la scoperta di un catàfero l'avrebbe atterrito.

«Non credo propio. Dù jorni fa abbiamo puliziato tutto. Comunque, pi scrupolo...»

«Senta... e se trovo... che devo fare?»

«Chiami a quarcuno. T'arrangi.»

Doppo un tri orate di travaglio, una mezza parete che ancora stava addritta franò di colpo in una densa nuvolaglia di pruvulazzo. Senza poter più sciatare, Nenè si mise a tossire, l'occhi gli lacrimiavano. Quando la nuvolaglia diradò, Nenè s'addunò che il muro, cadendo, aveva scoperto una specie d'arco sutta al quale ci stava addritta una bellissima statua di màrmaro bianco. Era la statua di una picciotta a grandezza naturale, completamente nuda, la testa isata, i capelli a crocchia, le minne di forma perfetta, l'occhi chiusi, la vucca aperta in un grido silenzioso, le mano unite a prighera. Che rappresentava quella statua stramma? Che dintra a un casino tenevano la statua di una fimmina nuda era cosa normale, non era normale che la statua aveva quell'atteggiamento che di certo stava meglio dintra a una chiesa. S'avvicinò, la toccò. Non era màrmaro, ma carne. Un catàfero fimminino cangiato in statua dalla rigidità della morte e dal pruvulazzo. Non si vedevano ferite, era intatta, doveva essere morta pirchì la polvere dello sdirrupamento l'aveva completamente cummigliata assufficandola.

Nenè gettò la pala, piegato in dù dal vomito e dall'orrore.

La sera, appena toccò la branda, s'addrummiscì, stroncato dalla stanchezza. E veramente non l'arrisbigliarono manco le bombe che cadevano vicinissime. Un sonno armalisco.

Doppo tri jorni ebbe una mezza matinata di primisso. Caminò per le strate deserte sintennosi 'ntronato, tanto che non si addunò di una machina che veniva di corsa. Quello che guidava arriniscì a frenare, però pigliò lo stesso a Nenè che cadì 'n terra.

«S'è fatto male?» spiò il guidatore che era sceso dalla machina.

«No» disse Nenè.

Fece per alzarsi e l'omo gli pruì la mano per aiutarlo.

Ma Nenè 'ngiarmò. Pirchì stava tenendo nella sua la mano di un morto.

Il baronello Giannetto Nicotra di Monserrato, quello di cui avevano trovato qualichi resto sutta alle macerie della sua casa di campagna. Il baronello, quello per il quale Siria si era forse ammazzata.

Riconoscibilissimo, a malgrado che si era fatto crescere un paro di baffi che pareva un cavallante tartaro. Macari lui arriconobbe a Nenè.

«Ah, tu sei? Bongiorno» salutò frisco frisco.

«Ma voi... voi...»

Nenè non arrinisciva a ripigliarsi, non dalla botta della machina, ma dall'imparpaglio d'attrovarsi davanti a quell'ex morto.

«Senti, ora ti spiego. Aspettami in quel Cafè. Levo di mezzo alla strata la machina e arrivo.»

Lo vide dirigersi zoppicando verso l'automobile sportiva cha conosceva bene. Perciò non era manco vero che gliela avevano arrubbata. Si andò ad assittare al tavolino del Cafè e doppo tanticchia il baronello arrivò.

«Che ti pigli?»

«Un'aranciata.»

Nenè aviva la vucca sicca.

«Io mi faccio un surrogato.»

Il baronello ordinò e taliò a Nenè.

«Dal tuo sbalordimento capisco che sono riuscito a pigliarvi per il culo a tutti quanti.»

«Eh, sì. Lo sapi che Siria è scomparsa doppo che...»

«Certo che lo so. Ci eravamo appattati, mi ha raggiunto indove le avevo detto e ci siamo diretti a Messina con la mia machina.»

«Quindi Siria lo sapeva che la sua morte era tutta tiatro?»

«Certo che lo sapeva! Avevamo studiato 'nzèmmula tutta la facenna!»

Un cammarere portò l'ordinazioni.

«Ma non siamo riusciti a passare lo Stritto» ripigliò il baronello. «Allura sono venuto qua che ho un amico fidato e lui mi ha dato la chiave di una sua casa in campagna, a quattro chilometri dal paisi. Oggi sono sceso a Ràghiti per fare la spesa. Senti, tu hai chiffari? Pirchì se non hai chiffari, vieni a mangiare da noi. Facciamo una bella sorpresa a Siria.»

«No, grazie, devo tornare al Comando. Ma mi livassi una curiosità. Di chi erano i resti umani sutta alla sua casa?»

«Ah, quelli? Di un catàfero qualisiasi, oggi se ne trovano a dù un soldo, lo procurò il mio campiere. Al dito della mano ci abbiamo messo il mio anello in modo che non ci fossero dubbi. E po', approfittando del bombardamento, il campiere fece saltare la casa con la dinamite.»

«Ho capito. Ma non si scanta che il campiere si mette a parlare?»

«E che interesse ha? Io gli ho venduto tutte le mie proprietà a prezzo di favore. Non gli conviene che la legge s'interessi alla cosa. Tanto, avrà i guai suoi con mè mogliere appena si scopre che, prima di morire, io vendetti ogni cosa a lui.»

«Che pensa di fare dopo?»

«Appena è possibile, passiamo lo Stritto. Andiamo in Sguìzzera. Lì ci ho i soldi che m'abbastano e mi superchiano.»

Si susì, cercò gli spicci in sacchetta.

«Pago io» disse Nenè.

Si strinsero la mano.

«E mi raccomando... silenziu» disse il baronello.

«Non dubiti. E tanti saluti a Sir... alla signora.»

«Porgerò.»

Verso le tri del matino del nove di luglio Nenè, che oramà dormiva un sonno sempre più simile alla morte, con l'ossa rotte per la faticata del solito travaglio di pala, vinni arrisbigliato dal marinaro che dormiva nella branda allato.

«L'americani stannu sbarcannu.»

«Indove?»

«Tra Gela e Licata.»

Fora dal bunker doveva essersi scatenato uno sdilluvio universale di bombe, di spari di mitragliatrici e di cannoni, di ferro e di foco. Strate strate non doveva trovarsi anima criata. Siccome si era corcato vestito pirchì gli era mancata la forza di spogliarsi, si susì, traversò la camerata indove tutti erano viglianti e agitati dato che avevano saputo dello sbarco e arrivò alla porta del bunker: non c'erano sentinelle. Niscì fora, la notte pareva jorno, si levò la fascia, la gettò in terra. Stava disertando, ma non gli poteva catafottere di meno. Caminò leggero e svelto, con l'assoluta sicurezza, va a sapiri pirchì, che nisciuna bomba, nisciun proiettile, nisciuna scheggia l'avrebbe colpito. Caminò e caminò, si trovò fora Ràghiti, pigliò la strata che portava verso il paisi indove stava la sua famiglia. Un camion di militari taliani all'alba gli dette un passaggio, ma dieci chilometri doppo il camion non c'era più, bruciava mitragliato da dù aeroplani. Nenè e i soldati, vedendoli arrivare, si erano gettati campagna campagna e accussì si erano salvati. Po' la scattìa del sole gli impedì di caminare ancora, non ce la faceva più. S'avvicinò a una casuzza, c'era un vecchio viddrano davanti alla porta.

«Posso avere tanticchia d'acqua?»

Senza parlare, il vecchio gli pruì un bùmmulo d'acqua freschissima.

«Disirtasti?»

«Sì. Come avete fatto a capirlo?»

«Pirchì picciotti come a tia fino a chisto momentu ne aiu vistu passare minimo 'na decina. Hai fami?»

«Sì.»

«Ti pozzu dare sulu qualichi fava arrustuta.»

Tutti i mezzi militari taliani che incontrava andavano in senso contrario a quello suo, si ritiravano dalla costa indove i miricani era sbarcati. Un camion si fermò di colpo, non fu più in grado di ripartire. I soldati che erano a bordo scinnero, l'ammuttarono fora strata con le ruote dintra a una cunetta, acchianarono di corsa supra a un'altra camionetta stipata.

Era questa la sconfitta, la disfatta? Questo fuifui senza ordine, alla sanfasò, alla chi corre meglio arriva prima? E indove andava a finire 'sta corsa? Allo Stritto, a quella specie di tappo che avrebbe dato tempo all'aeroplani miricani d'ammazzarli a tutti?

Vide venire un camion carrico di marinari in divisa. Si mise in mezzo alla strata e non si cataminò fino a quando l'autista non si fermò. S'avvicinò a quello che guidava, un graduato dalla faccia gentile.

«Da dove venite?»

«Da Vigàta.»

«Dài, dài, non perdere tempo, riparti» gridavano i marinari dal cassone facendo prescia all'autista.

«Perché vi ritirate?»

«Perché Vigàta è completamente distrutta, tutte le navi sono affondate o salpate, le batterie antiaeree non esistono più. Gli americani al massimo tra due o tre giorni entreranno in paese. Se vuoi venire con noi, andiamo verso Messina...»

«No, grazie.»

Che fine aveva fatto suo patre? Invece di sentirsi avvilito per le notizie avute dal marinaro, fu come se una forza nova e dispirata gli era trasuta dintra al corpo. Nenè quasi si mise a correre. Venne sorpassato da un sidecar tidisco che subito si fermò. Il soldato tidisco, a gesti, gli spiò se voleva un passaggio e lo fece assittare nel posto del passeggero. Appena la motocicletta ripigliò a caminare, Nenè di colpo s'addrummiscì. Mentre sentiva di cadere dintra a un pozzo senza fondo gli parse che qualichiduno gli gettava di supra pietre pesantissime per farlo sprofondare chiossà. Non seppe quanto aveva dormito. S'arrisbigliò dintra a un silenzio perfetto, manco l'aceddri cantavano. Il sidecar era fermo a un lato della strata, il soldato tidisco dormiva.

Dormiva? E allora pirchì aveva mezza testa? Nenè saltò fora, si mise a correre, il suo sonno era stato accussì vicino alla perdita dei sensi che non aveva manco sentito l'aeroplano che aveva mitragliato al tidisco.

La notte la passò tra sonno e veglia, con le spalle appuiate a un garrubbo. Arrivò nel paisi indove stava sua matre alle dieci del matino, i piedi tutti insanguliati. Appena lo vitti, sua matre chiangenno gli spiò:

«Hai notizie do papà?»

«No.»

Tri ore appresso trasirono l'americani e 'mpiccicarono supra i muri un proclama che principiava accussì:

GOVERNO MILITARE ALLEATO
DEL TERRITORIO OCCUPATO

Io, Harold R.L.G. Alexander, G.C.B., C.S.I., D.S.O., M.C., General, Generale Comandante delle Forze Alleate e Governatore militare del territorio occupato, dichiaro questo paese restituito alla libertà...

"Contraddizione c'è" si disse Nenè. "Se questo paisi è stato liberato, pirchì lo chiamano territorio occupato?"

Ad ogni modo, questo veniva a significare che lungo la strata per Vigàta non c'erano più combattimenti. Trovò una bicicletta e l'indomani all'alba sinni partì. Ad arrivare a Vigàta c'impiegò otto ore, pirchì le centinara e centinara di camion miricani carrichi di soldati e munizioni, i carri armati granni quanto una casa, le jeep capaci d'acchianare supra a un muro liscio, lo gettavano continuamente fora strata. La prima volta andò a finire in mezzo a un campo con l'àrboli tranciati e abbrusciati, l'erba arsa. C'erano quattro carri armati taliani sventrati, le torrette scoperchiate. Vicino ai cingoli rotti di uno ci stavano dù muntarozzeddri di stracci che un tempo erano stati grigioverdi. Dù povirazzi morti che si cuocevano al sole. La quarta volta rotolò allato a un camion vacante che fora strata ci si era messo apposta. I soldati miricani del camion stavano a una ventina di metri, ordinati in fila per uno, erano una quindicina e parlavano, ridevano, sgherzavano, si davano manate supra le spalle. Pigliato di curiosità, s'avvicinò.

All'ùmmira di un aulivo saraceno ci stava una picciotta nuda corcata a panza all'aria supra a un telone mimetico. Allato, assittato in terra supra alla gonna e alla cammisetta della picciotta, c'era un quarantino vestito tutto di nìvuro, coppola nìvura in testa, una sponza nella mano che bagnava in un catino pieno d'acqua. Davanti aveva una scatola di scarpe aperta e mezza piena di dollari. La picciotta teneva l'occhi chiusi, vrazza stese e gambe aperte, e pareva morta, si cataminava sulo a secundo delle spinte che le dava il miricano di turno che le stava di supra, ma tra un omo e l'altro si manteneva immobile, non scacciava manco le mosche che le si posavano in faccia, non s'arriminava macari quando l'omo vestito di nìvuro, pigliati i dollari dal miricano che aveva finito e infilatili nella scatola, le dava una passata con la sponza bagnata in mezzo alle gambe.

Il paisi era distrutto assà, ma non completamente come gli aveva detto il marinaro. La sua casa era sana, quella d'in faccia era stata sdirrupata. Raprì con la chiave che si era sempre portata appresso. Dintra era tutto in ordine.

Allora s'avviò al porto in mezzo a un tirribìlio di andare e venire di motoscafi che si cangiavano in camion appena toccavano terra e trasformavano le strate indove passavano in fiumare d'acqua e di fango. Proprio in mezzo al porto, addritta supra una piattaforma alta una decina di metri, ci stava un soldato che con dù bandiere dirigeva il traffico.

Po' vide a suo patre che parlava con dù ufficiali di Marina miricani. Il cuore gli acchianò 'n vucca. Non arriniscì a cataminarsi, restò a longo a goderselo con l'occhi. Se l'erano scapottata, ce l'avevano fatta.

Tornando a casa per andare a riposarsi, Nenè passò davanti alla Pensione Eva. Stentò a orientarsi, si confuse, pensò d'avere sbagliato posto. Doppo capì. Non riusciva a orientarisi pirchì la Pensione non c'era più e manco il magazzino di legnami e manco la casa allato. Nenti, uno spiazzo fatto sulo di macerie. A momenti gli pigliò un sintòmo, ma la commozione non fu forte come s'aspettava, troppe cose più laide aveva patito.

Arrivato davanti al municipio si sentì chiamare. Si voltò. Era Ciccio. Si precipitarono l'uno verso l'altro gridando i loro nomi come da una distanza infinita, si strinsero tanto forte che a momenti s'assufficavano a vicenda.

«Quanno arrivasti?» spiò Ciccio.

«Un'ora fa in bicicletta. E tu?»

«Aieri. Senti, stasira mangiamo 'nzèmmula? Accussì parlamo in pace e facciamo festa.»

«Certo. Ma che c'è da festeggiare, a parte il fatto che siamo vivi?»

Ciccio s'imparpagliò.

«Ma oggi non è il jorno che fai diciotto anni?»

Nenè si dette una manata in fronte.

«Vero è! Lo sai che me l'ero scordato? E indove andiamo?»

«Fora. In paisi fa troppo càvudo e c'è fetu di morto. Penso a tutto io, tu non ti preoccupare di nenti. Passo a pigliarti in bicicletta all'otto.»

Ciccio aveva ragione. Prima non ci aveva fatto caso, ora lo sentiva forte, 'u fetu di morto. I catàferi ancora sutta alle macerie, con tutto quel gran càvudo, fermentavano.

Ciccio passò all'otto. Sul portabagagli della bicicletta teneva attaccata una cassetta con un tri chili di sarde frische frische, dal manubrio pinnuliava invece un sacchetto con dintra tri bottiglie grosse di vino.

«Il vino pigliatillo tu nella tua bicicletta, masannò io non posso pedalare. Strata facendo, dobbiamo trovare una canala pulita.»

«Figurati se non la troviamo, con tutte 'ste case sdirrupate. Indove andiamo?»

«Alla Scala dei Turchi.»

Prima di nesciri fora paisi trovarono la tegola di cotto che cercavano. Arrivarono ai piedi della Scala che il sole era mezzo calato. Non c'era nisciuno nella spiaggia, però il mare non pareva fatto d'acqua, sbrilluccicava sulo per l'acciaio delle navi da guerra e da trasporto che stipavano l'orizzonte. Si stinnicchiarono tanticchia supra la rina, po' Ciccio si mise a cercare le pietre per fare il sostegno alla canala, mentre Nenè andò a raccogliere i rametti secchi da abbrusciare. A ripa costruirono un cerchio di pietre alto una trentina di centimetri, po' Nenè andò a pigliare la canala che aveva messo in acqua per puliziarla. Ciccio intanto infilò 'na poco di rametti dintra al circolo di pietre, ci dette foco e ci posò supra la canala con la parte incavata verso l'alto. Ora abbisognava aspittare che la canala divintava rovente tinennola sempre supra il foco vivo. Stapparono una bottiglia e accomenzarono a viviri.

S'appresentava una nuttata che pariva man-

data apposta, nenti ventu, sulo la rumorata lèggia lèggia della risacca.

«In fondo in fondo, è sì e no da una quindicina di jorni che non ci vediamo, ma pare che è
un'eternità» disse Ciccio. «Come te la sei passata
a Ràghiti?»

«Male.»

E gli contò quello che aveva dovuto fare.

«E tu, a Cammarata?»

«Bene me la passai. La sai una cosa? Incontrai
ad Angela, tua cugina.»

«Ah, sì? Come sta?»

«In salute, bene. Se la passa male col marito
che è un disgraziato che sta tutto il jorno e maca-
ri parte della notte fora di casa a jocare a carte.
Ma in paisi dicono che quando il marito non c'è,
Angela riceve. Si consola mettendogli le corna.
Mi contavano che...»

Meglio cangiare discorso.

«E della Pensione che mi dici?»

«Vedi, io partii per Cammarata il jorno ventisette, ma dovetti tornare qua per una matinata il
quattro di luglio. E la Pensione era stata distrutta il jorno avanti. C'erano i dù Jacolino, patre e
figlio, che chiangivano. Mi dissero che la Signura Flora e le picciotte erano tutte salve, quella
notte erano andate al rifugio.»

«E ora indove sono?»

«Boh. A che punto è la canala?»

«Ancora ci vuole tanticchia. Senti, ti voglio contare una cosa che m'è capitata a Ràghiti. Ma non la devi dire a nisciuno.»

«Parola.»

«Il baronello e Siria sono vivi.»

Ciccio, che era stinnicchiato a taliare le stiddre, si susì a mezzo di scatto, appoggiandosi col gomito supra la rina. Si vedeva sulo la sua faccia strammata al riverbero del foco.

«Ma che dici?!»

E Nenè gli contò tutta la faccenda. Doppo, si ficiro una gran risata.

«Allura capace che...» principiò Ciccio pigliato da un pinsero mentre che rideva.

«Che cosa?»

«Capace che macari Lulla e Giugiù hanno fatto l'istisso.»

«Pirchì? Non sono più tornati dalla gita in barca?»

«No, noi dù siamo stati l'ultimi a vederli. Capace che sono arrivati da queste parti, sono scesi a riva e a piedi se ne sono andati va' a sapiri indove.»

«Ma la barca vacante è stata trovata?»

«No. Ma tu capisci, con tutto il burdellu che c'è stato nel mare qua davanti in questi jorni...»

Si misiro nuovamente a ridere. Non si erano addunati che la prima bottiglia se l'erano bevuta passandosela di mano. Sempre ridendo, misero le prime sarde a cuocere sulla canala arroventata. Ci volle picca e nenti pirchì diventassero belle arrostute. Accomenzaro a mangiarsele con le mano, in silenzio.

Mangiare, viviri e ascutare la risacca. Con l'amico arritrovato.

Che c'era di meglio nni la vita? La guerra era passata, pareva accussì lontana che forse non c'era mai stata veramente. Vuoi vidiri che se l'erano insognata?

Po', di colpo, si firmaro di mangiare, si taliarono alla luce del foco, la stissa dimanna nell'occhi.

Pirchì le sarde che avivano nella vucca sciauravano, a lèggio a lèggio, di mentuccia, cannella e chiodi di garofano.

Si erano sbagliati, Lulla e Giugiù non erano mai scinnuti a riva. Si erano imbarcati per muriri 'nzèmmula 'n mezzu a 'u mari.

Ciccio ripigliò a mangiare. E siccome Nenè no, Ciccio disse:

«Forza, strunzo, che ci vuoi fare? Oltretutto questo sciàuro mi pare un condimento bono.»

Tornarono in paisi verso le tri del matino. S'erano sbafate tutte le sarde e avevano svacantato le tri bottiglie. Erano 'mbriachi, caddero una gran quantità di volte dalla bicicletta. Arrivati davanti a quella che era stata la Pensione Eva, si fermarono, scesero e s'assittarono in mezzo alle macerie. Ciccio tirò fora un pacchetto di sicarette miricane, se ne addrumò una. Doppo tanticchia, Nenè disse:

«Dammene una macari a mia.»

E si fumò la prima sicaretta della sua vita.

nota

Questo scritto intende essere semplicemente una vacanza narrativa che mi sono voluto pigliare nell'imminenza degli ottanta anni.

Non è né un racconto storico né un racconto poliziesco, è un racconto fortunatamente inqualificabile. Oltretutto, alla lettura credo che presenti difficoltà minori di altri miei romanzi. E persino il titolo è diverso dai miei soliti.

Desidero avvertire che il racconto non è autobiografico, anche se ho prestato al mio protagonista il diminutivo col quale mi chiamavano i miei famigliari e i miei amici. È autentico il contesto. E la Pensione Eva è veramente esistita, mentre sono del tutto inventati i nomi dei frequentatori e i fatti che vi sarebbero accaduti.

a.c.

Indice

«La Pensione Eva»
di Andrea Camilleri
Collezione Scrittori italiani e stranieri

Arnoldo Mondadori Editore S.p.A.

Questo volume è stato impresso
nel mese di gennaio dell'anno 2006
presso Mondadori Printing S.p.A.
Stabilimento Nuova Stampa Mondadori - Cles (TN)

Stampato in Italia - Printed in Italy